河出文庫

翻訳万華鏡

池央耿

河出書房新社

はじめに

異言語の間に橋をわたして心の行き来を助けるのが翻訳の仕事だといっておけば、ひとまずはそれで充分だろう。翻訳はまた未知との遭遇で、つまりは地図のない旅である。生き物も言葉をやりとりするし、海豚《イルカ》語には方言さえあることが知られているが、ほとんどの生き物は言葉の違いを越えて他の種族とは交流しない。文化のないところに翻訳はない。これを裏返して、翻訳は文化の養い親だともいえる。そのままでは溶け合わない水と油をこき混ぜて一つにする界面活性剤になぞらえて翻訳を説明する立場もある。ことほど左様に、翻訳は切り口次第で見えてくるものもさまざまだ。

翻訳を介してかけはなれた言葉と言葉が映り合い、響き合うありさまは変幻きわまりない万華鏡の影像を思わせる。ここにはじまって、翻訳の現場から風まかせに話を進めるとしよう。体験の断片を順不同に並べるだけで、もとより文章作法を論ずる意図はない。戯れに万華鏡を覗《のぞ》くようなつもりでお読みいただけたら幸いである。

翻訳万華鏡　目次

記憶の本箱

翻訳万華鏡

蒟蒻問答

時はいつも若い者に味方する。だが、人間はいつまでも若くてはいられない。薄田泣菫《すすきだきゅうきん》の『茶話《ちゃばなし》』にあって、おりふし思い浮かぶ言葉である。これを実感するにはまだ間があるとたかをくくっていたのがつい先頃で、今ではなるほど、もっともと、ただうなずくほかはない。こうなってみれば、なに、わかりきった話だ。一年は年齢の逆数だから、人生後半の時間はどんどん疾《はや》く短くなるのだと説明されて妙に納得している。やんぬるかな、とは思わない。崑崙山《こんろんさん》の仙人たちのように退屈を持てあますより、限りある時間が疾く経ってくれるなら、その方がよほど有難い。

翻訳に携わって四十年になる。依頼があって手に負える作品なら、えり好みせずに何でも引き受けたし、数は多くないものの、自分から出版社に持ちこんだ企画もあって手がけた領域は広きにまたがっている。レイモンド・ローウィの『口紅から機関車まで』ではないが、幼児向けの読み聞かせ絵本から、いわゆる純文学にいたるまで、おそらく書店のどの棚にも一度は場所を与えられているのではなかろうか。むろん、学術専門書はこの限りにあらずだが、あまりに雑多な仕事をしたせいで、同業のさる先輩からダボハゼ訳者と揶揄《やゆ》されたことがある。何にでも喰らいつくという皮肉である。ダボハゼは汽水にも淡水にも棲《す》む鯊《はぜ》の仲間で佃煮《つくだに》になる。ただし、これは俗称で、多くは知知武《チチブ》を指していう、と小学館の『国語大辞典』に出ている。勝海舟の墓所、洗足池で産湯《うぶゆ》を使った育ちだからダボハゼは知っているが、この小型の鯊が本当に何にでも喰らいつくかどうか、詳《つまび》らかにしない。

それはともかく、医者と薬に縁がないことだけを取り柄に出ずっぱりでやってきた。居職《いじょく》は性に合っている。仮にも世のため人のため、功労などというものがあろうはずはないけれど、活字文化、翻訳文化の片隅に身を置いて久しいことは偽りのない事実で、最近は自ら文化高齢者をもって任じている。だといって、電車で席を譲ってもらいたげに、ものほしそうな顔はしないからお気遣いにはおよばない。

小説であれ、評論、随想の類であれ、文章は筆者を離れて一人歩きする。何を見るか、どう感受するかは読者次第であって、事実の伝達を旨とする報道文と読み物の違いがここにある。文芸と名がつく限り、作者の言わんとするところがそっくりそのまま読者に伝わる保証はない。自分の意に反する読み方をされたからといって、作者が抗議してもはじまらないし、釈明に努めるなどはそれ以上に見苦しい。書いたものがひとたび世間の目にさらされたら、作者は首を洗って待つしかないのである。早い話が、読者はどこまでも自由であるというにつきる。翻訳もまた同じで、訳者は何よりもまず一人の読者として原作《テキスト》と向かい合う。無限に自由である。ところが、目の前に立ちはだかるテキストは訳者の自由をてんから許さない。たちまちにして訳者は無限の不自由を思い知る。いってみれば、井戸の中で竹竿《たけざお》をふりまわすに等しい。この無限の自由と不自由の間に接点を探り、折り合いをつけて新しく一つの作品をひねり出すのが訳者の仕事で、結果の良し悪しは時の運、巧く行きましたらご喝采、である。

実は、これと同じことをフランス文学の河盛好蔵がその『翻訳論』で述べている。原作の一般消費者、つまり読者は「原作の内容を他の国語に移しかえる義務から免れているために、翻訳者よりも原作に対して遙かに自由な立場にある。彼らは原作によって限定されはしない。否、優れたる読者は、原作を軸としてできうるかぎり遠くまで飛びうる人であろう。そうしてこの読者はもちろん翻訳家自身の内部にも存在しうるのである。されば翻訳家とは、彼自身の内部にある自由なる読者と、原作によって厳重に限定された読者との間を、振子《ふりこ》の如《ごと》く往来する人であるといえよう」。

ここにいう自由は原作をぞんざいに読むことを意味しない、と釘をさした上で河盛好蔵は振幅の大きな翻訳者の出現を待望しているのだが、先に触れた作者の意図が常にそのまま読者に伝わる保証はないことについて、こんな発言もある。「ヴァレリーもいうように、世の中には創造的な誤解というものがあって、翻訳文学が自国の文学に及ぼす影響のなかには、この種の誤解が非常な力をもっていること、ならびにそのような現象はむしろ文学の面白さの一面であることも同時に私は認めたいと思うのである」

何やら『蒟蒻問答《こんにやくもんどう》』に似ていないでもない。ご存じの向きには無用のことながら、蒟蒻の字を見てただちにコンニャクと声には出ない年代層もあろうから、ここで落語『蒟蒻問答』のあらましを紹介する道草をお許し願いたい。とある無住の寺を預かった土地の蒟蒻屋が旅僧に禅問答を仕掛けられ、まるでものを知らない強みで論に勝つ噺《はなし》である。

旅僧はいろいろに問いかけるが、蒟蒻屋はいっさい黙して応じない。さては無言の行と合点して、旅僧は手ぶりで問いを発する。両手の指で輪を作って突き出したのは、御僧の胸中は？　の意味である。蒟蒻屋はこれを見て、なにを？　おれの蒟蒻はそんなちっぽけなんじゃあねえ。このくらいだ、と腕いっぱいに輪を描いて答える。旅僧はそれを、大海のごとし、煩悩のかけらもない解脱《げだつ》の境地と理解して、ははっ、と平伏する。

次は諸手《もろて》を開いて指十本。十方世界は？　十方世界は広大無辺の宇宙だから、天地自然を支配するものは何か、という借問である。

蒟蒻屋は、十でいくらだ？　じゃあ、これでどうだ、と片手を出す。五百文《もん》。

旅僧はこの片手の五本指を五戒と受け取る。五戒とは、殺すな、盗むな、色にふけるな、偽るな、酒を飲むなで、モーセの十戒の半分だが、仏門ではこれさえ守れば世界は丸くおさまることになっている。十方世界は五戒で保つ……。ははっ。

ではもう一つ、と旅僧は三本指を立てる。弥陀三尊《みださんぞん》は？　弥陀三尊といえば、阿弥《あみ》陀如来《だにょらい》を真ん中に、観音と勢至《せいし》の両菩薩《ぼさつ》が左右に控える構図だが、仏画仏像はともかく、実際にはどこへ行ったら拝めるだろうか。

蒟蒻屋にしてみれば、そんなことはどうでもいい。なんだ、三百に負けろだ？　けちな野郎だ。負けてなんぞやれるか。あかんべえ。

これを旅僧は、目の下にあり、と解釈する。目の下にあり。弥陀三尊は常住坐臥《ざが》、自分の視野のうちであり、自分もまた三尊の視野から外へ出ることはないというお答えか。さほどに悟りきっておいでの善知識には拙僧など足もとにもおよび申さぬ。ははーっ。

「創造的な誤解」もここまでになると雄大だ。立場がかけ離れて共通するものを持たない同士ではしょせん話が嚙み合わず、意思の疎通が成り立たない滑稽を身ぶり手ぶりのデフォルメで見せるところが『蒟蒻問答』の眼目だが、考えてみれば、旅僧も蒟蒻屋も自分の理解を唯一の判断基準と思い定め、頑としてそこから動こうとしない態度はまったく同じではないか。世の中にはその手の狭量な人種が少なくない。そこを笑いのめしたのがこの噺である。原作者と読者、原作と翻訳、翻訳とその読者の関係においても、時として蒟蒻問答が起きていないとは限らない。以下の拙文は、職人風情の文化高齢者が記憶の本箱から心当てに旧訳を取り出して、作者や登場人物と対話する試み、つまりは翻訳問答で、途中、蒟蒻問答になる憂いなしとしないが、そこは大目に見ていただきたい。

記憶の細道

子供の頃、身のまわりに本らしい本はなかった。だいたい、家のどこであれ本の背表紙がずらりと並んでいるのを見た覚えがない。戦後間もなくのことで、隣近所も事情は似たり寄ったりだったかもしれないが、とにかく、年少にして読書習慣が身につくにはほど遠い環境だった。どういうわけか、チック・ヤングの漫画『ブロンディ』があって、まがりなりにも理解できたのは吹き出しの科白《せりふ》が日本語になっていたからだ。『スヌーピー』よりはるか以前にも、当代の人気漫画が翻訳輸入されていたことがこれでわかる。訳者の名をハセガワユキヲと知ったのは後年だが、まだ読者の数にも入らない子供がそんなところを見るわけがない。アメリカの中流、それも、おそらくは中の下に近い勤め人の家庭生活を描いたこの漫画は、現在でも二十世紀半ばの日米文化を研究する社会史家に恰好の素材を提供しているようである。必ずしも裕福とはいえまいが、生活の不安に怯《おび》えることなく、電化製品にかこまれて明朗闊達《かったつ》に暮らすアメリカの都会人一家を日本の読者大衆は窮乏の底から遠く望み見ていたと思う。

もちろん、何も知らない子供がそんな意識で漫画を読みはしない。主人公、ブロンディのスカート丈がいつ見ても膝ちょうどだったのが不思議に強く印象に残っている。それと、忘れられないのは亭主ダグウッドが自分で作る三段重ね、四段重ねのサンドイッチである。「ダグウッド・サンドイッチ」はたいていの辞書に堂々と載っているところから、作者チック・ヤングの創案ではないかと察するが、すいとん腹の欠食児童はただただその大きさ豊かさに目を瞠《みは》るばかりだった。家で時たま登場するサンドイッチはハムやソーセージの代わりに鰹節《かつおぶし》を使った「おかかサンド」で、これは惜しまれて夭折した閨秀《けいしゅう》作家、由利聖子の発明である。『チビ君物語』といっても大方の読者には馴染《なじ》みがないだろうが、たしか三一書房の型録《カタログ》で見た記憶があるから、さがせば今でも手に入る。銀行家の屋敷で使われている通いの家政婦は夫に先立たれて母一人子一人の境遇だが、その娘、チビ君が銀行家の令嬢と年が近いためにお守り役として出入りする設定で、由利聖子一流の、社会階層をしっかりと見すえてしかも諧謔《かいぎゃく》横溢《おういつ》の文章は実に生きがいい。一九三四年、作者二十三歳の書き下ろしというのも驚嘆に価しよう。これをたかが少女小説と決めつけて忘れ去るのはいかにももったいない気がする。

本らしい本のない家でどうしてこの少女相手のユーモア小説に親しんだのか、今となっては知る由もない。ただ、これで本を読むことを覚えたし、いくらか世の中に目を向けることを教えられたのは間違いのないところだ。さあ、それから後は手当たり次第、といえたらいいのだが、ないものは読めない。通りをいくつかへだてた焼け残りの一郭に蔵書を町内の住人に貸し出して小遣い稼ぎにしている家があって、近所の友だちと誘い合わせて何度か覗《のぞ》きに行った。もっとも、子供向きの本は多くなかったと見えて、何を借りたか借りなかったか、思い出せない。進駐軍のジープが走り去って雨上がりの水たまりに油虹が浮いているのがえらく珍しかった時代である。洗足池では貸しボート屋が朝から晩までダイナ・ショアの『ボタンとリボン』を流していた。ラジオは平川唯一の『カムカム英語』が人気を呼んで、戦後日本の少なからぬ庶民がこの番組で英会話入門を体験した。米軍極東放送網FENの前身、WVTRから聞こえてくるジャズ・コーラスが耳新しく、ワイズミュラーの『ターザン』ばかりか、ハリウッド映画が次々と封切りになって日本中が否応もなくアメリカ英語文化の波をかぶったのは、今は昔となった昭和史の断章である。

やがて、民間放送がはじまってディスクジョッキー番組『S盤アワー』や、トマス・ライエルのニュース解説『カレント・トピックス』で英語はじわじわと一般家庭に浸透したが、片方で古今東西の文学を朗読や放送劇の形で聞かせる番組も盛りだくさんだった。NHKでは徳川夢声の『宮本武蔵』が今も語り種《ぐさ》になっているし、夢声と七尾伶子の『西遊記』は古関裕而《こせきゆうじ》のハモンドオルガンを味方に得て一世を風靡《ふうび》した。『ロビン・フッド』や『アイヴァンホウ』も長く続いたように記憶している。民放では滝沢修の『銭形平次』に、先代水谷八重子の『吾輩は猫である』と、山本安英の『次郎物語』は待ちかねて欠かさず聞いた。本のない家にもどう間違ってか改造社日本文学全集の零本が打ち捨ててあって、水谷八重子のおかげで漱石を読むようになった。下村湖人『次郎物語』が文庫を買いはじめるきっかけだったことを思えば、これもラジオの功徳といわなくてはならない。当時、文庫は岩波、角川、新潮が御三家で、岩波は星、角川は十字花一つが四十円だった。両社は印二つで八十円だが、新潮は六十円、七十円と定価を刻んでいた。手もとに残っている高橋義孝編『森鷗外翻訳《ほんやく》珠玉選』が七十円だから、この記憶は間違っていない。

そんなふうにして、ぼちぼち本と近づきになった。製材所からラワンの板を買ってきて自分で作った不細工な棚に、とにもかくにも本と呼べるものが増えていくのは楽しみだった。今になってこの記憶の本棚をひっくり返してみれば、シャミッソーの『影を売った男』や、ルナールの『にんじん』、シュティフターの『水晶』、ヘルマン・ケステンの『性に目覚める頃』、ジャック・ロンドンの『白い牙』等々、およそ脈絡もなく読んでいたと知れる。ヘルマン・ケステンは室生犀星に同名の作品があったところから手に取ったのだと思うが、これで一つ利口になった。新聞は別として、ほかに活字に触れる機会といえば月極の貸し雑誌があった。何種類か月刊誌をまとめて回覧形式で貸し出す業者がいて、総合雑誌や文芸雑誌はもちろん、『演劇界』のような読者を愛好家に限った雑誌も注文すれば届けてくれた。家で取っていた中には婦人雑誌もあって、読めば大人の知識が頭に入ったから、ヴァン・デ・ヴェルデが高校生の通過儀礼になった時も驚くほどのことはなくて済んだ。

桑名の焼き蛤

いつ頃から翻訳を意識して読むようになったか、心当たりがないでもない。ゴーゴリの『検察官』を米川正夫と中村白葉で読みくらべたのがそのはじまりだったろう。どっちがどうというのではない。ただ、それまでは気に懸けもしなかった言葉の変現に十七、八の一読者がいささかの関心を懐《いだ》いただけの話である。この場合は戯曲だから、演者の声柄や科白《せりふ》術など、小説の文体とは別の要素もあることだが、それはさておき、前に触れた自由な訳者が活字の陰に潜んでいるらしいことをうすうすながら感じ取ったところは頰笑ましい。帝政ロシアの田舎町を舞台に、食い詰めた不良青年でしかない調子者のフレスタコフを中央から政情視察に訪れた高官と思いこみ、市長をはじめ町の顔役一同が賄賂《わいろ》攻《ぜ》めのもてなしで臑《すね》の傷を隠そうとする喜劇をどこまで理解していたかはともかく、風刺の醸す笑いを知って愉快だったのを憶えている。ペテルブルグの貧相な都会人フレスタコフが「ちゃきちゃきの江戸っ子」だったり、ロシアの田舎で「その手は桑名の焼き蛤」などという科白が飛び出したりするのは何とも不思議だが、昔の翻訳ではご愛敬で、読者が目くじらを立てることはなかった。米川訳も中村訳も昭和初期の仕事である。ハムレットが「葉村年丸」で、オフィリアが「をりえ」、シラノ・ド・ベルジュラックが「白野弁十郎」、エドモン・ダンテスが「団友太郎」だった明治はまだ遠くなりきっていなかったかもしれない。今、ゴーゴリのこの作品を新しい邦訳で読むなら光文社古典新訳文庫がある。題名も旧習を脱して『査察官』になっている。それを思って開いてみたら、「桑名の焼き蛤」は健在だった。まあ、いいではないか。齋藤別当実盛の科白を借りれば、かかる例《ため》しはままあることで、とりたてて異とするには当たらない。

唐詩選の風景

このあたりがとっかかりで、少しずつ翻訳を気にするようになったと思う。あれこれ読んだうちには、街中で角を曲がる途端に新しい景観が開けるに似た発見もある。われわれ昭和年代は漢文が必修だったから、五言絶句なり律詩なり、唐代中国の詩は何編かきっと中学高校で教わった。さしずめその代表が孟浩然《もうこうねん》の『春暁《しゅんぎょう》』で、これは誰だって知らないはずはない。

春眠不覚暁　しゅんみん　あかつきを　おぼえず
処々聞啼鳥　しょしょ　ていちょうを　きく
夜来風雨声　やらい　ふううの　こえ
花落知多少　はなおつること　しらず　いくばくぞ

この読み下しが歴とした翻訳であることを話す教師はあまり多くなかったのではないかと想像する。中国語は一字一音節だから、この詩を朗読すると日本語とはまるで響きが違う。そこはお互いさまで、日本語の読み下し文が中国人の耳には珍しい音に聞こえる。これはどの国の言葉に移そうと事情は同じだが、面白いことに、こうして日本語に姿を変えた音韻は中国人の聴覚にもすこぶる快いそうである。文字を持たなかった日本人は漢字を採用して、訓読の工夫を凝らし、いつか漢字仮名混じりという世界にも類のない文章表記法を編み出した。漢字に日本語の読みを当てる和訓も、語順を入れ替える返り点も、すべてこれ翻訳の手続きである。してみれば、大和言葉より後の日本語はそもそもが翻訳の文脈で成り立っているといいえばいいえる。中国の詩文を音読に耐える響きで再現できる翻訳は日本語としても極めて完成度が高いのだが、学校ではまずそんなことは教えない。それでも、当時の生徒たちは「スイソン　サンカク　シュキノカゼ……」などと朗誦して興に入っていた。もっとこの世界を知りたくて、神田の古書街で簡野道明の『唐詩選詳説』上下を手に入れたのがやや後れて五八、九年と記憶している。

その流れで井伏鱒二の『厄除《やくよ》け詩集』に出っくわした。『山椒魚』の作者の手にかかると孟浩然も、お見それしましたが、といいたくなるまで姿が変わる。

ハルノネザメノウツツデキケバ
トリノナクネデ目ガサメマシタ
ヨルノアラシニ雨マジリ
散ッタ木ノ花イカホドバカリ

こういう翻訳があり得ることを知ったのは、教えてくれたのが井伏鱒二だから、釣果だった。その後、何種類もの訳を目にしているが、古格と今風が同居していたり、韻律に欠けるところがあったりで、この軽妙な味わいはなかなか真似できるものではない。ことのついでにもう一つ、よく知られている井伏訳の『勧酒（于武陵《うぶりよう》）』を引いておく。

勧君金屈巵　きみに　すすむ　きんくっし
満酌不須辞　まんしゃく　じすることを　もちいず
花発多風雨　はな　ひらけば　ふうう　おおし
人生足別離　じんせい　べつり　たる

コノサカズキヲ受ケテクレ

ドウゾナミナミツガシテオクレ
ハナニアラシノタトエモアルゾ
「サヨナラ」ダケガ人生ダ

ついでながら、『厄除け詩集』についてここでちょっと補っておかなくてはならない。井伏訳には、実は下敷きがあって、石州、つまり現在の島根県にいた潜魚庵という人が一七〇〇年代の後半に唐詩選から七十首あまりの五言絶句を邦訳している。井伏鱒二はその俗謡調をそっくり真似た。というより、『厄除け詩集』の半ばは潜魚庵訳の引き写しであるらしい。『勧酒』は潜魚庵を離れているようだが、どうせなら井伏鱒二もはじめから種明かしをしておけばよかったのにと思わないでもない。潜魚庵の『唐詩選和訓』は未見ながら、この話は高島俊男氏の〈週刊文春〉連載コラム「お言葉ですが…」で知った。

幽邃の森

武蔵野の片隅の小さな大学に籍を置いて寮生活をするようになってからは、毎秋、荻窪で開かれる中央線古書会の市に出掛けるのが身軽な近間の行楽だった。学生の分際で、手が届くのは業者や蒐集家が見向きもしない捨て売りの小冊ばかりだが、稀《まれ》には掘り出し物があって、森鷗外の『水沫集』、『諸国物語』、『蛙』、『一幕物』の初版などは収穫だった。これ以前に寶文館《ほうぶんかん》の『鷗外小説全集』でひとまず下地はできている。新書版布装のこの全集は森於菟《おと》、小堀杏奴《こぼりあんぬ》の編集で、永井荷風を監修に据え、木下杢《きのしたもく》太郎《たろう》も一文を寄せるという贅沢《ぜいたく》な企画が若い読者には有難かった。思えばこれが傾倒のはじまりで、鷗外の文苑《ぶんえん》、杢太郎のいうテーベ百門の大都は今もって立ち去るに忍びない。

鷗外はまた、その名のとおり幽邃《ゆうすい》の森であって、外から見ては視野に余り、分け入ろうとすれば樹海の深さに人をたじろがせる。文業の半ばを占める翻訳は小説、詩歌、戯曲、学術論文、箴言《しんげん》と広い範囲に跨《また》るのみならず、初期の雅文美文にせよ、晩年の言文一致にせよ、新体模索の時代だった明治大正にあってどれもみな文章の規範ならざるはなかった。詩人の日夏耿之介は「明治大正文学史から鷗外訳本を除けば、その価値は卒然として三分の一を減じる」といいきって、「恒《つね》に時代の先声となり後ろ固めとなって建設期の右顧左眄《うこさべん》的読書子心理に、重き典拠と限りなき安神《あんしん》とを与えた」鷗外の訳業を「翻訳文学の師子座」に置いている。鷗外は新しかった。ことは翻訳に限らない。詩歌集『沙羅の木』を通覧するだけでもそれはいえる。なるほど、素材に扱われている風俗は時代を映しているだろうが、だからといって鷗外を遠い過去に追いやっては浅見皮相の譏《そし》りを免れまい。ちりばめた古語、漢語を欧文脈で貫く技法によって鷗外は独往の詩風を確立した。

加えてここには意表を衝《つ》く試みもある。集中の一編『都鳥』の末尾のスタンザは、川波に浮き漂う百合鷗《ゆりかもめ》を見た作者が在原業平を思いながら船頭と交わす会話である。


舟人よ。あの鳥を見よ。

「はあ。ありやあかごめでがさあ。」

気《け》ぢかきにおぢぬさま見よ。

「臭くつて食はれませんや。」

文語と市井《しせい》日常語の無造作とも言える取り合わせが笑いにまで昇華しているあたりは絶妙だが、そこに周到な計算が働いている。与謝野寛の詩誌〈明星〉に「腰弁当」の名で稿を寄せた鷗外は作中、日頃めったに見せない素顔をちらりと覗《のぞ》かせたりもする。『直言《ちょくげん》』は、断っても断っても執拗に原稿をせがむ雑誌編集者に辟易した苦笑の呟きである。

「そこを押してぞわれ願ふ。
たとひ詰まらぬ作にても
お名前あれば人は買ふ。」

金縁目がね、バイシクル
人は見掛けによらぬもの、
此《この》直言を敢てする。

『沙羅の木』の歌集「我百首」は別として、詩文三十九編のうち鷗外の作は十五編で、ほかは翻訳であることを見てもこの碩学《せきがく》が訳業を捉えていた視座は窺《うかが》い知れようが、なおよく見れば、作詩と訳詩の間に径庭と呼ぶべき何もない。集中の一編、リヒヤルト・デーメルの「静物」について比較文学者の小堀桂一郎は述べている。

鷗外の訳しぶりは、例へば外国語の優等生といった型の学生が、原詩と入念に対照しつつこれを読んだ場合、これは果して「忠実」な翻訳であるのかと首を傾《かし》げるかもしれない様な、一見無頓着に自由なものである。しかしそれなればこそ、この篇に於て鷗外の訳筆はまことに類ひ稀なるほどの軽妙と暢達とを以て自在に遊んでをり、原詩の或いは奇矯と映ずるかもしれない擬声語の効果なども、ここでは完全に日本語として消化されつくしてゐる。しかも全体としては間違ひなく「正確」な訳なのである。（森鷗外―文業解題・翻譯篇）

鷗外の詞藻《しそう》は翻訳においてもいっかな揺るぎないということだが、散文の場合も事情は同じである。今なお名品の呼び声高いハンス・ラントの『冬の王』、フレデリック・ミストラルの『蛙』、フランツ・モルナールの『破落戸《ごろつき》の昇天』、グスタフ・フローベールの『聖ジュリアン』、戯曲ではアルツール・シュニッツラーの『猛者』……等々、印象に残っている作品を数えだせば切りがない。どうせなら、知る限りの鷗外訳を並べたらいいではないかとさえ思えてくる。鷗外の文章は静謐《せいひつ》である。犀利《さいり》である。行文を目で追ってその音韻が耳に心地よい。諧謔は雅を装って外連《けれん》がない。そんなこんなで、一時期ひたすら鷗外に親しんだ。学生が競って読むのが小林秀雄、丸山真男という時代だったから、鷗外の、それも人のほとんど顧みない翻訳に読みふける寮生は周囲からとかく胡散臭《うさんくさ》い目で見られていた。だが、後年、ゆくりなくも翻訳を活計《たっき》とすることになった身にとって、この時期こそは済勝《せいしょう》の足馴《あしな》らしだった。

学生訳者

はじめて翻訳で収入を得たのも学生の頃である。年中、着たきり雀《すずめ》で腹を空かせている境涯で、学校にいながら稼ぎに追われて講義を聴く暇がなかった。そんならさっさと止めればよかろうに、踏ん切りがつかなかったのは友人に恵まれて、それなりに居心地のいい場所ではあったためだと思う。新築の大学図書館は開架式で、自由に本が読めるのが有難かった。そこで、貸し出しデスクにアルバイトの口を得て、しばらくは図書館で暮らした。日没から閉館まで、利用者はみなそれぞれに勉強を抱えている。昼間と違って貸し出しデスクは手持ち無沙汰である。これ幸いと、書架からめぼしい本を取り出して紙魚《しみ》の贅沢《ぜいたく》を味わった。ところが、そうやって読んでいるのを職員に見つかって、図書館で働く学生が本を読むとは何ごとか、と難癖をつけられたにはとんと合点がいかなかった。図書館のアルバイト学生が目の前にある本を読むのと、寝ている旅客の懐中物をくすねる枕さがしを一緒にされてはかなわない。お手長講の札付きに、とうとう島ぁ追い出され、それから若衆の美人局《つつもたせ》……、とはいわないまでも、以後、図書館とは疎遠になってここやかしこを転々と渡り歩くことになった。そのありさまを見かねてか、親切な友人が仕事を世話してくれたのである。

紹介されて、行った先は愛宕山《あたごやま》のNHK放送博物館だった。蟬時雨《せみしぐれ》がしきりで、糯《もち》竿《ざお》をふりまわす子供たちの間を縫って歩いたのを憶えているから夏休み中のことだろう。当時はまだ東京の真ん中にもそんな風景が残っていた。面接というほどのこともなく、ではこれを、と渡されたのが『ピルキントン報告』である。イギリス政府が放送のあり方を検討するために設けた有識者会議、ピルキントン委員会が一九六二年に公表した白書で、テレビの影響力を論じ、大衆の権利を尊重して番組の充実と向上を促す提言が主たる内容だった。この少し前から、アメリカではテレビの俗化を「一望の荒野」と批判する声がようやく高まり、日本でも大宅壮一が「一億総白痴」と酷評したように、大衆がテレビに洗脳されることを憂える意識はつとに世論の伏流をなしていた。大宅壮一が今の日本のテレビを見たら何というだろうか。とうてい、一望の荒野や、一億総白痴どころでは済みそうにない。それはともかく、各国の放送事情を調査していた愛宕山の博物館がピルキントン報告を関係方面に配布するには邦訳を添える必要があって、とりあえず学生を使うことにしたのだと思う。かなり大部なこの報告書を曲がりなりにも訳し終えることができたのは、博物館があらかじめ定訳のある放送用語を注解したり、イギリス特有の制度を説明したりと、行き届いた配慮を示してくれたからにほかならない。手許の小さな字引では長文の報告に歯が立たず、大きな辞典を拝借するなど、ここでも何かと友人たちに助けられた覚えがある。

放送博物館に訳稿を届けて、その頃の大学出の初任給をはるかに上回る報酬を手にした時は、正直、にわかには信じ難い気持だった。およそものを知らない学生の翻訳がそのまま通用したとは思わない。当然、博物館の学芸員が筆を入れたに違いないのだが、なまじ半可な細工を混じえず、逐語訳の体裁だったのが、かえって後の始末が楽でよかったのかもしれない。どうやら箸にも棒にもかからない仕事ではなかったようで、以来、愛宕山が得意先になった。学校を出てからも、懐が淋しくなってご用聞きに行けばきっと依頼があったから、博物館にしてもひとまずは重宝な部類だったろう。

寮は四人部屋で、同室の三人は下級生である。思いがけず大枚の翻訳料が入って、それまで何一つ先輩らしいことをしていなかったから、三人を寿司屋へ連れていった。好きなだけ食えといったところで、酒を飲むではなし、寿司屋の方でもどこの学生か承知で手加減してくれたか、いたって軽少だった。それでも、個人史の上では翻訳事始めのささやかな記念である。

新しい世界の文学

白水社の『新しい世界の文学』が出はじめた当時のことで、後々かなりの数になるこの選集を通読するだけの根気も知力もなかったが、垢抜《あかぬ》けした装幀に惹かれて無計画に拾い読んだ。もっとも、ふり返ってみればほとんど記憶に残っていないのだから、読んだというのもおこがましい。ただ、それまで各社が競って出していた古典中心の世界文学全集とは違うところを狙った編集意図は伝わって、新鮮な印象に打たれたのは事実である。素通りで終わったはずはない。記憶にないのはわからなかったからだといえばそれまでの話だろうけれど、わからない歯痒さは自身の無知ゆえと思いつめたところはしおらしい。今でこそオランダ人作家ヤンウィレム・ヴァン・デ・ウェテリンクの顰《ひそ》みに倣《なら》って、わからないものはわからないままでいいではないかと風馬牛を決め込んでいるが、若い時分はなかなかそこまで割りきれず、アンチ・ロマン、あるいはヌーヴォ・ロマンともてはやされていた分野にも多少は食指を伸ばした。素通りでは終わらなかったというのはそのことで、生面の作者も少なくなかったから『新しい世界の文学』には一宿一飯の造作にあずかった思いがある。

とりわけ、吉田健一訳のイーヴリン・ウォー『黒いいたずら』はまだ職人以前の不学無識な読者にも浅からぬ感化をおよぼした。紺屋《こうや》の白袴《しろばかま》を盾に、寡読を恥じる身の上は今も昔も同じだが、なぜか吉田健一は気になる存在で、随筆を手はじめに、『絵空ごと』、『金沢』、『東京の昔』など、翻訳ではスティーヴンスンの『旅は驢馬《ろば》をつれて』や、ニコラス・モンサラット『怒りの海』、ジョン・クレランド『ファニー・ヒル』……と、意識して読んだ時期がある。吉田健一の文章は晦渋《かいじゅう》だ、と多くの人が口を揃えていう。なるほど、そのとおりかもしれない。つかみどころがなくてどこへ向かっているのだか、おいそれと見極めのつかない文体は落語の素人鰻《しろうとうなぎ》を思わせたりもする。それでいて、読後になにやらゆかしい香気を残すのは端倪《たんげい》すべからざる奥行きのなせる業《わざ》だろうか。そこへ行くと、翻訳における吉田健一はまるで別人かと紛うようである。あの曲がりくねった文体は影を潜め、一種即物的ともいえる話術でテキストの世界を再構築する呼吸は妙手の名に恥じない。冒頭に触れた河盛好蔵のいわゆる「自身の内部にある自由なる読者と、原作によって厳重に限定された読者との間を、振子《ふりこ》の如《ごと》く往来する」訳者がここにいる。それを教えてくれたのが『黒いいたずら』だった。

大学は出たけれど

この時期を境に映像の世界に迷いこんで、ちょっと回り道をした。

『大学は出たけれど』は昭和初年、世界恐慌の煽《あお》りを食らった日本の大学出の就職難を喜劇に仕立てた小津映画だが、時代は下って昭和も半ばを過ぎ、池田内閣の所得倍増計画が図に当たって日本経済は右肩上がりの成長軌道に乗った。周囲を見まわしても、勤め口が決まらずに腐っている朋友はいない。意思があって、虫のいい贅沢《ぜいたく》さえいわなければ道は開けるものなのか。それならと、人並みに何ヶ所か会社訪問をしてみたところが、世の中そうそう甘くはなかった。どこへ行っても門前払いである。そろそろ秋風が身に入《し》む頃になって考えた。このままでは大学は出たけれど、という仕儀にもなりかねず、ましてや学校に残る気は毛頭なかったから、自分でどうにかするしかない。職業別電話帳を当てずっぽうに、えいや、と開いて見わたすと、短編映画を作る会社が並んでいる。企業が自社のイメージを一般に売りこむ広報をはじめ、市場開拓、技術の記録、あるいは株主総会における業績報告など、さまざまな目的で製作される産業映画のほかにも、学校教材を用意したり、地域活動に一役買ったりと、短編映画は間口が広い。古くは文化映画と呼ばれた時代もあって、興行を意図する劇映画とは別のジャンルをひっくるめて短編といっている。こんな世界もあるのかと、何やら発見でもしたつもりでそこに記載されている番号に片っ端から電話した。当然ながら、相手にされようはずがない。が、中に奇特な会社があって、海のものとも山のものともつかない学生を電話一本で拾ってくれたから、ひとまず先の心配はなくなった。

名神高速道路が開通し、東海道新幹線が営業運転をはじめて、街を歩けば三波春夫の「オリンピックの顔と顔」が厭《いや》でも耳についた。日本の風景が目に見えて変わりだした頃である。撮影スタッフの頭数に加わって、昨日は東、今日は西と、土木・建築の現場やメーカーの工場に出入りしたが、そうやって普通なら知らずに過ぎたであろう舞台裏の実際に触れたのは、思えば得難い経験だった。見よう見まねでカメラも回した。いい度胸だといわれればそのとおりで、今ふり返ると寒気がする。めくら蛇とはこれだろう。もっとも、若い時はいくらか背伸びをするくらいでちょうどいい。この分ならどうにかやっていけると腰が据わりかけたところへ紙切れ一枚の通告で、出社におよばず、である。とりたてて不始末をしでかした覚えはないのだが、よほど嫌われたと見える。ほかに思い当たる節はない。組合も何もない個人会社で、解雇の理由を質《ただ》そうにも、けんもほろろで話にならなかった。学校を出てから十余年は植木等だが、学校を出てから十余月で、はいそれまでよ、と放り出された格好である。ただ、この会社も小さいなりに映画を撮っていたのはたしかだから、ほんの短い間に製作の一通りは体験して、後々これが役に立ったことを考えれば含むところはない。

フリーランサーといえば聞こえはいいかもしれないが、ありていは素浪人である。折から日本に注目した欧米の映像メディアが次々と取材に訪れ、通訳と助監督を兼ねる仕事の声がかかって腹を空かす憂いはなかった。錦秋《きんしゅう》の日本で観光映画を撮ったイギリスのWWP社や、ドキュメンタリー・シリーズ『日本発見』を作ったアメリカのABCテレビがこの国を外から見る視線には何かと刺激を受けたように思う。来日する取材陣に同行して現場を手伝う仕事は、今は影も形もない岩波映画の斡旋《あっせん》で、これを機縁に単発の作品契約、さらには綱渡りの期間契約と、非正規の身分ながら岩波で暮らすことになった。

それまでは何もわからないまま、ただ情況の命ずるところに従って体を動かしていればよかったが、もともとさしたる考えもなしにのめり込んだ身の錆《さび》で、この時すでに自分の適性に疑問が兆していた。どんな商売にも向き不向きはあるし、ある程度は経験がものをいうのも事実だが、それで済むなら誰が何をしようと、世の中、似たり寄ったりだろう。とはいえ、まだ経験を云々するほどの時間を経てもいない。目の前は無知の厚い壁である。経験に乏しい以上にものを知らない人間がかくも中途半端で役立たずと思ってはいなかったから、ここではじめて足を止めて密かにうなずいた。映像の世界は自分にとって、番付相応の技倆を持たない力士と同じで、家賃が高すぎることを遅ればせに悟ったまでの話である。

演出畑をのそのそするうち、気がついてみれば身は知辺《しるべ》もかかりもない迷子だった。生来の不器用もあって現場では使いものにならないとわかってからは、隙間に逃げこんで、脚本書きと、既成の映画を外国語版に吹き替える仕事でどうにか体裁だけは繕った。世の譬《たと》えにもいう、蟹《かに》は甲羅に似せて穴を掘るとはこのことだ。おりしも日本は曲がり角にさしかかっていた。いざなぎ景気と謳《うた》われた高度経済成長もそろそろ一区切りで、国中がお祭り騒ぎに沸いた七〇年の大阪万博を境に歪《ゆが》みを残して後退に転じる。もっとも、ほとんど朦朧《もうろう》状態で世の片隅に生息していると、そんな変化もおよそ実感がない。

脚本を書きながら考えた。文字に頼れば画は細る。情報不足は命取り。事理をとおせば退屈だ。とかく映像はややこしい。そのややこしいところをどれほどか和らげて、束の間なりと見る人の関心をつなぎ止めるのが脚本の役目だが、悲しいかなそれだけの知恵がない。現場から「お前の脚本は画にならない」と文句が出ることもしばしばで、逃げこんだつもりの隙間も居心地がいいとばかりはいえなかった。しばらく遠ざかっていた活字の世界が恋しくなったのはこのあたりからだったと思う。ちょうど學藝書林の『全集 現代文学の発見』が出揃って、看板に違わず「発見」のチチェローネを果たしてくれたのは有難かった。大岡昇平、平野謙、埴谷雄高、佐々木基一、花田清輝が責任編集に顔を並べたこの全集は作家別に一巻を括《くく》る従来の常識を覆したところが斬新で、繙《ひもと》けば意表の邂逅《かいこう》もある。十七巻のそれぞれに「最初の衝撃」、「方法の実験」、あるいは「黒いユーモア」、「青春の屈折」、「物語の饗宴」……、といった柱を立て、その視点から明治と袂《たもと》を分った文学を概観する編集が小気味よく、歯応えもたしかだった。山川方夫、佐木隆三、稲垣足穂、久坂葉子、その他この全集で知った作家は少なくないが、わけても尾崎翠の『第七官界彷徨』は今なお色濃く記憶に残っている。「証言としての文学」の巻におさめられている吉田満の『戦艦大和ノ最期』が現在では貴重な文語の規範とますます高い評価を得ていることは人も知るとおりである。かくまで広い間口で文学を横断的かつ重層的に編んだ全集はちょっとほかに例がない。8ポ二段組みで五百ページ前後、函入《はこい》りで七百五十円だったが、近年、新装版が出て何とこれが四千五百円である。うたた今昔の感なきを得ない。

シーガル旋風

神保町の角からほんの少し専修大へ寄ったあたりに泰文堂という、ペーパーバックを手広く扱っている古書肆があってちょくちょく通った。小川町にも小山源喜堂だったか、ブックブラザーズだったか、似寄りの店を何軒か知っていたが、足の便がいいところから自然と泰文堂が行きつけになった。入って左側の棚全段がペーパーバックで、かなり新しいものまで揃っているのがこの店の強みだった。たまたま手に取った一冊に座間キャンプのゴム印を見て、米兵も本を読むのかと、はなはだ不見識な賛嘆を呟いたこともある。ダニエル・デフォーの『モル・フランダーズ』を買ったのが縁のはじまりではなかったろうか。後々、期せずして手がけることになったハモンド・イネスやネヴィル・シュートも何点かはここで求めたから、普通なら編集者が用意するテキストがあらかじめ手許にあって自前で仕事を進めたりもした。思えばこの時期にいくらか読んだのが誘い水で、スティーヴン・キングのいう「職人の道具箱」を開ける気になるのにさして時間はかからなかった。道草を食っている間はチャールズ・ウェッブの『卒業』におけるベンジャミンほどではないまでも、倦怠《けんたい》が先に立って何をするにもとかく及び腰だったが、ここで一つ背中を小突かれた格好である。冤罪事件の史実に材を取ったバーナード・マラマッドの『フィクサー』は旧約「ヨブ記」のアウフヘーベンとも読めたし、『真夜中のカウボーイ』で人気を博したレオ・ハーリヒーの『絶叫で終わる物語』は不思議な余韻が尾を曳《ひ》く短編集だった。ギリシアの軍事政権を批判して国外追放となったアカデミー女優、メリナ・メルクーリの自伝『私はギリシア人』は、後に復権を果たして同国の文化相を務めることになる異才の深い陰翳《いんえい》を伝えて余すところがない。ゴア・ヴィダールも、スローン・ウィルスンも、そうやって拾い読んだうちの収穫といえる。

話は前後するが、不治の病に冒された若い女性・大島みち子と、それと知りつつ残る時間、心をつくした青年・河野実の往復書簡が『愛と死をみつめて』の題で本になり、広汎な読者に迎えられた。版元は大和書房、六三年のことである。大矢弘子（作詞）／土田啓四郎（作曲）による同題の演歌が青山和子の熱唱で日本中の紅涙《こうるい》を絞ってからややあって、一九七〇年、アメリカの大学で古典を講ずるエリック・シーガルの小説『ある愛の詩』がベストセラー上位に躍り出た。エリック・シーガルはビートルズの映画『イエロー・サブマリン』でつとに知られた脚本家でもあるのだが、『愛の詩』は脚本と小説を並行して書き進め、映画の封切りと単行本の上梓とが相次いで、東西にシーガル旋風を巻き起こした。

フランシス・レイの音楽が人気を呼んで観客動員に輪をかけたことも記憶に新しい。アメリカと日本では文化の土壌が違うから、単純な比較は禁物だろうけれども、病魔が若い二人の心を結びつける筋立ては『愛と死をみつめて』に一脈も二脈も通じるところがあって、日本の観客も読者も、多くがそこを意識していたと想像する。が、それはともかく、ロミオとジュリエットの現代版とも評されたエリック・シーガルの一作が刺激になって日本の出版各社が新しい傾向の模索に動いたことは間違いない。

一口に新しい傾向といっても、書き下ろしばかりとは限るまい。発表年代がいつであれ、未知の読者にとってはどれもみな新しい。再読して思わぬ発見があれば作品の評価も変わる。要は目のつけどころである。世に埋もれた作品は数知れず、自国では広く知られていながら、なぜか日本の読者には馴染《なじ》みの薄い作者がいる。人が寄ってくるのをただひっそりと待っているような作品もある。山路来て何やらゆかしすみれ草。そうとなればまずはこの見当と、思い立って試みにネヴィル・シュートの『パイド・パイパー』を訳した。無手勝流の私訳だが、これが職人の振り出しである。

さすらいの旅路

ご多分に洩《も》れず、ネヴィル・シュート入門は『渚にて』だった。一九五七年の作品をスタンリー・クレイマー監督が映画化して相当の反響を呼んだ。本邦封切りは六〇年で、ネヴィル・シュートの没年である。ちょうど原作を読んでいる途中で訃に接したのを憶えている。ペーパーバックは開店して間もない渋谷の大盛堂で買った。それまでは英語といえば北星堂や南雲堂の副読本ばかりだったから、何やら晴れがましい気持だった。『渚にて』は時代設定が近未来で、核戦争の果てに人類の滅亡を予言したとも取れる筋立てのためか、ともするとSFの範疇《はんちゅう》とされがちだが、それだけで括《くく》れる作品ではないだろう。ネヴィル・シュートは悲観論に立っていず、作中人物はいずれも向日性が身上である。もちろん、初見の一作でそこまでは考えおよばなかったろうけれど、端正な作風と巧みな人物造形に惹かれて、それからそれと、いつしかネヴィル・シュートの世界に分け入った。

『パイド・パイパー』は第二次世界大戦中の一九四二年に発表されたこの著者の第八作で、史上に悪名高いナチス・ドイツのロンドン大空襲がいよいよ激しくなる情況にあってネヴィル・シュートはこれを書いた。

現役を退いた老弁護士ハワードが戦禍で息子に先立たれた傷心を癒《いや》すべく、フランス東部はスイスに近いジュラ山中の渓流に釣り糸を垂れるところから話ははじまる。安らぎを覚えるのは束の間で、刻々に広がる戦雲が閑寂を乱す。英仏混成軍がドイツ機甲師団に蹴散らされる体にダンケルクから撤退したと知って老ハワードは帰国を決意するのだが、そこでよんどころない事情から、赤の他人の幼い子供二人を預かる破目になる。無理を承知で苦労を引き受けたのは責任感である。戦火をかいくぐってフランスを横切るうちに、被災者の遺児や難民の孤児が加わって、子供の数は七人まで増える。非常時の極限情況で、年寄りと子供はいつの場合も無力な犠牲者である。戦おうにも手段がない。とはいえ、不条理に泣くことを潔しとしないなら、弱者もまた戦わなくてはならない。さるフランス人女性の助けを借りた老ハワードは、徹底非暴力の抵抗を身に帯びた唯一の武器としてその戦いを勝ち抜き、子供たちを安全な場所へ連れ帰る。ネヴィル・シュートはこの作品で、不撓の意思こそが弱者の利器であることを語っている。

題名の『パイド・パイパー』はドイツの民話、「ハメルンの笛吹き」の主人公に因んだ作者の遊びである。イギリスの詩人ロバート・ブラウニングがこの民話を物語仕立ての作品に書き起こして以後、笛吹き男は広く世に知られることになった。十三世紀も末の頃、ザクセン州ハノーファにほど近いハメルンの町にネズミの大群が押し寄せて住民を脅かす。市長と議会が対応に困じているところへ、どこからともなく現れたパイド・パイパーは報償と引き替えにネズミ退治を請け負い、笛を吹いて町を歩く。その音に釣られてネズミどもは後に続き、川に嵌って根絶やしである。ところが、市長と議会は約束を違えて支払いを拒む。パイド・パイパーは再び笛を吹いて歩く。今度は町中の子供が家を捨て、親を忘れて付き従い、コッペルバーグの丘の洞窟に消えて行方を絶つ。一人だけ、足が悪かったばかりに取り残された子供は孤独に泣くという話で、この出来事は町の碑に刻まれて今に伝えられている。ネヴィル・シュートの老ハワードはハシバミの枝を削って笛を作る特技があり、これが子供たちの信頼をつなぎ止めるよすがとなって、老幼の一行がドイツ占領下のフランスから脱出する物語に『パイド・パイパー』は穿《うが》った題名である。

映像の仕事の合間を縫って、とにもかくにもネヴィル・シュートは試訳した。これという当てもなしにはじめたことながら、原稿ができたとなれば先の思案をしなくてはならない。たまたま友人に週刊誌の記者がいて、まず読んでもらった。この友人がよくものを知った読書家で、エリック・シーガルを特集して人気の背景を誌上で分析したこともあり、商売柄、顔も広いところから訳稿をあちらこちらと持ち歩いてくれたのである。拙訳の不備を指摘して忌憚《きたん》のない評を聞かせてくれた親切には今もって感謝している。

そうこうするうち、これがまわりまわって大先達、常盤新平氏の目に止まり、氏のひとことで角川文庫は自他ともに許す急先鋒だった。出版各社が新しいところを目指す中で、春樹編集長の角川文庫収録が決まった。出版各社が新しいところを目指す中で、春樹編

場所が与えられたのであろう。試みに、七〇年代初期の文庫の巻末目録を見ると、ゲーテ、シュトルム、マン、リルケ、ドストエフスキー、ツルゲーネフ、トルストイ、シェイクスピア、モーム、ジイド、バルザック、モーパッサン……と、さながら古典文学大系で、同時代の作家はほんの数えるほどである。もちろん、古典を安価に提供して読者層を広げるのは文庫の大事な役目だが、こう「文豪」ばかりが並んでは淀んだ淵の印象を醸すことにもなりかねない。そこへシーガル効果で、文庫は転換期を迎えた。読者の方でもこの変化を待望していたと思う。

ネヴィル・シュートの拙訳は『さすらいの旅路』の題で七一年に出た。当時の角川は『さすらいの青春』、『さすらいの革命航路』と、さすらわないことには数のうちに入れてもらえない決まりで、老弁護士ハワードもさすらった挙げ句の果てに文庫の末

席に連なった。

それきり鳴かず飛ばずで、しょせん闇の礫かと思ったが、そんなことはない。遠方の読者からこの作品を評価する便りが届いて励まされたし、ネヴィル・シュートに詳しい先輩諸氏がおいでと知って頭が下がったりもした。ともあれ、これで気持が片付いて、活字の世界へ舵《かじ》を切ることにもはや躊躇《ためら》いはなかった。角川文庫『さすらいの旅路』は重版もないまま長らく忘れられていたが、一九九〇年に多国籍企業プロクター&ギャンブルの映像部門が制作したピーター・オトゥール主演のテレビ映画が日本でも放映されたのをきっかけに、東京創元社で復刊の運びとなった。角川の初版から三十年を経た二〇〇二年のことである。歳月は手加減なしで、この時すでに訳者自身、老ハワードの境涯に近づいていた。そこで、これを機会に訳文に手を入れ、邦題も原著どおりに改めた。創元推理文庫の『パイド・パイパー』は今も生きている。

二十世紀前半にイギリスの航空機産業を牽引した有能な設計技師であるネヴィル・シュートは二足草鞋《わらじ》で粒ぞろいの作品を書き、一九五〇年に航空界を辞してオーストラリアに移住した後、没するまでに自伝を含めてさらに十編の名作を生んだ。ここに触れた二作のほかに既訳のある『アリスのような町』、『遠い国』、『虹と薔薇』はいずれもオーストラリア時代の仕事である。いつの場合も外連《けれん》のないもの静かな語り口と、精緻な観察に裏づけられた的確な人物造形はネヴィル・シュートならではで、そこはかとなく漂う香気は捨て難い。未訳の佳編も少なからず、機会があればまたと思いながら、月日の経つのは疾《はや》いものである。

翻訳の遠近法

旧訳を素材に思いつくままを述べるに当たり、ざっとかいつまんだところで訳者自身の立場を伝えておきたい。

以前、語学の大家と誰もが一目置いている上の部の教養人から諭されたことがある。「原著者と同質同量の知識がない限り、翻訳をしてはいけないし、やろうとしてできるものではない」。当時まだ職人の数にも入らなかった訳者は、なるほど、と納得しかけて踏みとどまった。これは逸脱の論といわざるを得ない。翻訳は地図のない旅だから、不案内なら止しておけと頭ごなしに極めつけられては、それこそ何もできなくなってしまう。勝手知った道を行くばかりが能ではあるまい。馴《な》れないところを手探りで進む冒険も翻訳の心意気である。そもそも原著者と同等の知識とは何か、ことのついでにお尋ねしたい。志ん生の枕にこんなやりとりがある。

「お前えぁ、ナニはどうした、ナニぁ?」

「ああ、ナニか?　あれぁ、お前ぇ、ナニんとこへやっといた」

「そうか。じゃあ、今度おれが行ってナニしとくから、たのむぜ」

「ああ、いいとも」


事情を知っている同士ではこれで意味が通じるかもしれないが、ここにあるのは閉ざされた対話空間で、何をいわずとも了解が成り立つ当事者以外は取りつく島もない。情報交換を必要としない場面では許されもしよう。原著者と同等の知識がなければ翻訳はできないと考えるのはこれに似て、わかり合った内輪ばかりの世界にありがちな一種の視野狭窄《しやきようさく》である。原作と翻訳の距離は知識だけでは決まらない。もちろん、知識は豊富であるに越したことはないものの、そこに想像力が加わってはじめて原作との距離は埋まる。これまでにもあちこちで翻訳のことを書いたり話したりしてきたが、いつもながらの一つ覚えで、ここにまた鷗外を援用する。ゲーテの『ファウスト』について、「譯本《やくほん》ファウストに就《つ》いて」と題して自ら語っていることである。

私は「作者が此《この》場合に此《この》意味の事を日本語で言ふとしたら、どう言ふだらうか」と思って見て、その時心に浮び口に上った儘《まま》を書くに過ぎない。その日本語でかう言ふだらうと云ふ推測は、無論私の智識、私の材能に限られてゐるから、當《あた》るかはづれるか分らない。併《しか》し私に取ってはこの外に策の出だすべきものが無いのである。それだから私の譯文《やくぶん》はその場合の殆《ほとん》ど必然なる結果として生じて來《き》たものである。どうにもいたしかたが無いのである。

大正二年（一九一三）に冨山房から出た翻訳にまつわる余話として雑誌〈心の花〉に寄せた文章で、ゲーテは当時すでに日本でも広く知られていたし、『ファウスト』は既訳もあって、聖書のように有難い本とされていた。鷗外はもともと戯曲であるこの作品を舞台にかける前提で訳し、これを上演台本に用いた帝劇公演は大成功だったが、一部の識者から、崇高にして神聖なゲーテの文学が鷗外訳によって平談俗話に堕した、と批判の声が上がった。鷗外にしてみれば苦笑の種だったろう。一方に、世間が『ファウスト』を本質以上に買いかぶっていたことを平明な訳ですっぱ抜いたのは偶像破壊であると、快哉を叫ぶ評者もいたのである。鷗外は恬然と語っている。

マルチン・ルテルの聖書のドイツ譯だって、當時は莊重を損じたやうに感じたのだから、ファウストを譯する人は、私のやうに不學無識でなくても、多少こんな意味の誚《そしり》を受けずにはゐられぬ筈《はず》ではあるまいか。私はルテルを以て自ら比するものでは無い。ファウストを譯するのは人々の自由である。

翻訳を考える上でこれに付け加えることは何もない。原作にがんじがらめにされていようとも、翻訳者には表現の自由がある。翻訳は音楽の演奏と同じで、原作は表現記号のない譜面だと思えばいい。そこからどんな音を引き出してくるかはすべて奏者に任されている。曲の解釈や演奏技巧は人それぞれだから、同じ曲でも奏者によって響きが違う。指揮者や、演奏家や、歌手の好みが分かれる道理である。あるいは、音楽の演奏を舞台の演技に置き換えて、原作は台本と考えれば、訳者は役者と選ぶところがない。譜面を音楽にするのが演奏なら、言葉の演技で文字面を作品に変えるのが翻訳だが、聴衆も読者も気性は十人十色で、のっけから大向こうの評価が一致することを期待したら誤りだ。それを承知で翻訳者は仕事に取りかかる。翻訳は言葉の演奏、文章の演技であると同時に、一種の発掘作業だともいえる。土中に埋もれた化石や、磨けば玉となる原石や、歴史の遺物を掘り出すように作品の奥に何かを見つけて掘り起こすのも翻訳の働きである。小さな貝殻の化石だろうと、琥珀《こはく》の欠片《かけら》だろうと、発見があったらしめたものだ。仏師は丸太や石材に潜んでいる弥陀《みだ》の尊像を探り当てて彫るという。いやなに、そんな大袈裟な話ではない。要は感情移入で、先に触れた想像力の問題だ。感情移入のないところに発見は望むべくもない。

演奏はもちろん、演技もまた半ばは耳に訴えるものだから、翻訳は何にもまして響きを重んじる。文字にはそれぞれ固有の音がある。文章はただ目で辿《たど》っても必ず聴覚を刺激する。音読に耐える文章こそは翻訳の終着点である。原文の拘束を別とすれば、翻訳を縛るものは何もない。特に翻訳だけに的を絞った文章作法はあり得ない。すでに述べたとおり、原作にがんじがらめにされていながら翻訳者は自由である。原作の広がりや奥行きを再現するために自由は与えられている。平面上に立体を描くのと同じで、語彙《ごい》や文体の選択はすべてこれ翻訳の遠近法である。

重ねていうが、原作は指定のない譜面、ト書きのない台本で、そこにめりはりをつけるのが翻訳の仕事である。原語と自国語を止揚して新たな文章世界を作り出す表現行為と考えていい。別の喩《たと》えでいえば板前の包丁に似て、作品の出来不出来は言葉の扱い一つにかかっている。なろうことなら活け作りを姿よく皿に盛りたいところだが、いつもそう巧くいくとは限らない。何となれば、原著者は自分の書いたものがどこでどう捌《さば》かれるか、てんから知ったことではないからだ。作者はただ書きたいように書く。持ち前の文体もあれば、人物造形や位取りの計算もある。翻訳者は許されている自由にすがって、せいぜい原作に寄り添うしかない。逆立ちしても自分の器量を超える仕事はできないとわかった上でだ。作家は自流の文体を持っていればひとまずはこと足りるだろうが、翻訳者は相手によって文体を書き分ける。相撲でいう〝なまくら四つ〃で、これは作品が要求することである。ここで融通がきかないと翻訳は響きを失って、とうてい原作に太刀打ちできない。因みに、文体を書き分けるといっても、ことさら構えて変化を狙うのとは話が違う。冒頭で触れた河盛好蔵のいわゆる振子《ふりこ》の往復で、翻訳者が原作に寄り沿う時、そこに自ずと生ずる意識の揺らぎが訳文に反映するのである。

例えば、こんな文章がある。

快楽は自由の歌。
だが、自由そのものではない。
快楽は願望の開花。
だが、果実ではない。
快楽は高みに呼びかける深み。
だが、それ自体は深くも高くもない。
快楽は飛びたとうとする籠の鳥。
だが、囲いこまれた空間ではない。

そう、究極の真理において、快楽は自由の歌である。

思うさま、存分に歌うがいい。ただ、歌におぼれて心を失ってはならない。


若者はまるで人生のすべてであるように快楽を追いもとめ、そのために顰蹙《ひんしゅく》を買い、非難を浴びる。

なに、気にすることはない。快楽を求めてこそ若者ではないか。

求めれば、快楽だけでなく、その上に何かを得るだろう。

快楽には七人の姉妹がいる。末娘すら、快楽よりも美しい。

根を求めて地べたをほじくり、財宝を掘りあてた男の話は知っていよう。


老人は、どうかすると快楽を、酒の上の失敗を悔やむ心でふり返る。

だが、後悔は意識の曇り。叱責とは別である。

快楽は、夏の実りを感謝するようにありがたく思ってふり返らなくてはいけない。

もっとも、悔やむことが慰めなら、悔やんで心を癒《いや》したらいい。


快楽を追うには、すでに春を過ぎ、しかし、ふり返る秋にはまだ間がある人々がいる。

Then a hermit, who visited the city once a year, came forth and said, “Speak to us of Pleasure”
And he answered, saying:
Pleasure is a freedom song,
But it is not freedom.
It is the blossoming of your desires,
But it is not their fruit.
It is a depth calling unto a height,
But it is not the deep nor the high.

It is the caged taking wing,
But it is not space encompassed.
Ay, in very truth, pleasure is a freedom-song.
And I fain would have you sing it with fullness of heart; yet I would not have you lose your hearts in the singing.

Some of your youth seek pleasure as if it were all, and they are judged and rebuked.
I would not judge nor rebuke them. I would have them seek.
For they shall find pleasure, but not her alone:
Seven are her sisters, and the least of them is more beautiful than pleasure.
Have you not heard of the man who was digging in the earth for roots and found a treasure?

And some of your elders remember pleasures with regret like wrongs committed in drunkenness.
But regret is the beclouding of the mind and not its chastisement.
They should remember their pleasures with gratitude, as they would the harvest of a summer.
Yet if it comforts them to regret, let them be comforted.
＊63ページへ続く

求めること、思い出すことを恐れて、快楽をすべて遠ざける人たちだ。
心をなおざりにし、あるいは、心にそむくことを避けたいからである。
だが、そのようにふるまう中にも快楽はある。
ふるえる手で根を掘って、思いがけなく財宝に巡りあったりもする。
だいたい、心にそむくなというのが無理ではないか。
ナイチンゲールは夜の静寂を乱し、ホタルは星を暗くするだろうか？
炎や煙は風にとって重荷だろうか？
人の心は、竿《さお》でかきまわすことのできる池の溜まりではなかろうに。
多くの場合、快楽をこばめば身内の洞に欲求がたまる。
今日はひとまず遠ざけたものが明日を待っているかもしれない。
肉体は代々の権利と当然の要求を知っていて、何ものにもまどわされない。
肉体は心の竪琴《たてごと》。
妙なる調べをかなでるか、耳ざわりな雑音を発するかは弾き手による。
何をもって快楽の善悪をわけるのかと心に問うなら無理もない。
野に出で、庭にたたずみ、花の蜜を求める蜂の快楽を見るといい。
蜂に蜜を与える花もまた快楽にひたる。
蜂にとって、花は命の泉。

＊61ページから続く
And there are among you those who are neither young to seek nor old to remember;
And in their fear of seeking and remembering they shun all pleasures, lest they neglect the spirit or offend against it.
But even in their foregoing is their pleasure.
And thus they too find a treasure though they dig for roots with quivering hands.
But tell me, who is he that can offend the spirit?
Shall the nightingale offend the stillness of the night, or the firefly the stars?
And shall your flame or your smoke burden the wind?
Think you the spirit is a still pool which you can trouble with a staff?
Oftentimes in denying yourself pleasure you do but store the desire in the recesses of your being.

Who knows but that which seems omitted today, waits for tomorrow?
Even your body knows its heritage and its rightful need and will not be deceived.
And your body is the harp of your soul,
And it is yours to bring forth sweet music from it or confused sounds.
And now you ask in your heart, "How shall we distinguish that which is good in pleasure from that which is not good?"
Go to your fields and your gardens, and you shall learn that it is the pleasure of the bee to gather honey of the flower,
But it is also the pleasure of the flower to yield its honey to the bee.
For to the bee a flower is a fountain of life,
And to the flower a bee is a messenger of love,
And to both, bee and flower, the giving and the receiving of pleasure is a need and an ecstasy.
People of Orphalese, be in your pleasures like the flowers and the bees.

花にとって、蜂は愛の使者。
蜂と花、双方のために快楽のやりとりは生きることであり、この上ない喜びである。
オーファリーズの人たち。蜂と花のように快楽を追いなさい。

よく知られているレバノン出身の詩人、カリール・ジブラーンの『プロフェット』である。人々に慕われてオーファリーズの街で十二年を過ごした預言者アルムスタファが、故郷へ帰る船出を前に、名残を惜しむ市民らと人生百般について問答を交わす。「愛」「夫婦」「子供たち」「喜びと悲しみ」「理性と情熱」「言葉」「時間」……とテーマを掲げて作者が思いを語る散文詩で、そのうちから「快楽」と題する一章をここに引いた。

私は長いことアメリカ中部十二州の裏街道を捜し歩き、ついにレッドフォード夫婦に巡り逢った。彼らと多くの時間をともにして、私はもう一つの発見をした。私は次第次第に彼らもまた以前から私を捜していたことを知るようになったのである。二人は誰かが自分たちの話に関心を抱き、ノートとテープレコーダーを携えてやってくるのを待っていたのだ。

自分たちが知っている限りのことを残らず書き取ってくれる人間が現れるのを、二人は長いこと辛抱強く待ち続けていた。私はそう思わずにはいられなかった。

……老夫婦は彼らの先祖たちの織りなした悲喜こもごもの人間模様を物語った。考証のおよぶ限り、二人の話に食い違いはほとんどなく、事実関係の誤りもなかった。

バーナム・レッドフォードは自身の知る範囲で最も古い過去に遡《さかのぼ》って説き起こした……

アレイは十九歳で、結婚したばかりだった。嫁さんはエリザベス・ファーマー。まわりの者はベッツィと呼んでいた。アレイとは二つ違いだ。アレイの両親が旅の先達で、この両親の名前を私は知らないが、父親の方は、おそらく、ジョン・レッドフォードといったのではないかと思う。それはともかく、幌馬車《ほろばしゃ》には三家族か四家族が乗っていた。レッドフォード、ファーマー、スキッドモア、スミス……、幌馬車は六、七台で、奴隷の家族も一緒だった。もともとはノース・キャロライナのランドルフ郡に住んでいたのだが、ダニエル・ブーンの開いたヤドキン渓谷に近いこともあって、ケンタッキーに牧草がよく生える肥えた土地があるという話を聞いて、じゃあ、そこへ行って暮らそう、ということになった。西部へ行けば人間は少ないし、土地はいくらでも好きなだけ自分のものになるから、もっといい暮らしができると思ったのだろうな。

そこで、家財道具を残らず幌馬車に積んで、いる限りの奴隷と牛、馬をつれてでかけた。山を越え、河を渡る難儀な旅で、何週間もかかって、ようやくカンバーランド・ギャップに辿《たど》り着いた。冬の終わりか、春のはじめ……、ちょうど今くらいの陽気だろう。夜はまだまだ冷えこむな。山の狭間で野宿だ。そこに、幹が虚になっている大きな木があって、旅の者はみんなその木の根方で料理なんぞをする。そこへ火を起こして野宿をしたのだが、食事が済んで寝静まった頃から嵐になって、寝ているところへ虚の木が風で吹き折れた。そいつがアレイの両親が寝ていた幌馬車の上に倒れて、両親は下敷きになって死んだ。

ケンタッキーの郷土史家、ジョン・エジャートンが百歳を超える老夫婦のもとに足繁く通って取材を重ね、七代二百年にまたがる一族の肖像を描いた『ある大家族の歴史』の語りだしである。アメリカ社会の精神史が語り部夫婦の記憶にそっくり正確に保存されているところは圧巻というにふさわしく、著者エジャートンの聞き書きの文体がこの読み物にいっそうの味わいを添えている。最後の取材となった惜別の情景も

For a very long time, I had searched for them along the back-country roads of almost a dozen states in the nation's interior. I had finally found them. And then, after we had spent many hours together, I made another discovery: I came slowly to the realization that they had also been looking for me, for someone with a notebook and a tape recorder and an interest in the story they had to tell.

It was as if they had been waiting patiently for me to come and write it all down.

……From stories handed down by their parents and grandparents, from a sparse but fully remembered written record, from a lifetime of listening and telling, the elder Ledfords had evolved their own intricately woven tale of the lives of their forebears. Their separate accounts were seldom in conflict or at variance with the truth, as far as it could be verified.

He began with his ancestors, as far back as he could trace them. The first, in every sense of the word, was his great-grandfather, Aley Ledford:

He was nineteen years old, and he had a new bride, Elizabeth Farmer—they called her Betsy. She was two years younger than him. Aley's parents were leading the way. I don't know what their names were, but I think his father might have been John Ledford. Anyway, there was three or four families of them in the wagon train—Ledfords, Farmers, Skidmores, Smiths, maybe six or seven wagons in all, including a family of slaves. They came from Randolph County, North Carolina, not far from Boone's Yadkin Valley, and they had heard the tales of meadows and fertile land in Kentucky, so they decided to go there and settle. I guess they figured they could make a better life in the West, where it wasn't so crowded and there was plenty of land for the taking.

So they had started out with all their belongings, them and the few slaves they owned and their livestock, and after many weeks of hard journeying over the mountains and across the rivers, they finally came to Cumberland Gap. It was in late winter or early spring—probably about this time of year, still cold at night—and when they made camp there at the gap, they built a fire at the base of a hollowed-out tree where many a family before them had cooked supper. Late that night, after they had finished eating and gone to bed, a big storm came up and blew that hollow tree down in the midst of them. The trunk of it fell right across the wagon that Aley's parents were in, and it crushed them to death.

印象深い。

今、七十九年におよんだ二人の偕老の契りも終わりを遂げようとしている。バーナムはリュックサックを背に負って汽車を待つ旅人である。旅の支度は万端怠りない。彼は出発を待ちかねている。

私はバーナムと握手し、抱擁を交わし、別れの挨拶をした。

「もう、あんたを待っているとは約束しない」バーナムはいった。「これが、お互い、見納めだ」

戸口でもう一度ふり返ると、バーナムは私に手をふった。その顔を微かな笑いが過った。バーナムは目をそむけた。彼の心の奥の山深い渓谷に、近づいてくる汽車の汽笛が谺していた。

もとの文章によって翻訳にも多少の差異が生じることはこの短い例からもおわかりと思う。技巧の問題ではなく、要は原作にどこまで感情移入するかであって、これも先に述べた遠近法のうちである。小説における話し言葉にも同じことがいえるのだが、ここは深入りを避けて、作中の会話はすなわち人物造形であることを指摘するにとどめたい。老若男女、貴賤都鄙《きせんとひ》。話し言葉はきっと登場人物の肉声を伝えている。そこを聞き分けるのが翻訳者の心得だろう。話者の口ぶりから声柄や風貌が彷彿《ほうふつ》するようなら上出来と思っていい。

編集者との対話

作品は何度か読んで頭に入っている。文章の演出もこんなところと、ほぼ見当がついた。となれば、あとはひたすら日本語で原作をなぞっていくだけだ。これは画面に表示される歌詞を見ながらカラオケを歌うのに似ていないでもない。ただ翻訳の場合、画面の歌詞は原語で、それを即興の日本語で歌うのだと考えれば当たらずといえども遠からずだろう。職人の工房は鍵こそないが密室で、そこで何をしているか、自分から人さまに話すことはない。ねじり鉢巻きで呻吟《しんぎん》していようと、グラス片手にCDを聞きながら机に向かっていようと、とやこういわれる筋はない。職人の仕事は細工を終えて依頼主に渡すまでだ。途中の苦労を語ったところで細工の出来は変わろうはずもなし、能書きは無用の沙汰である。

と、こう書くと、翻訳は孤独な仕事だと思われるかもしれないが、そうとばかりはいいきれない。なるほど、稿を進める間はあらかた一人ぼっちだが、原稿を待ちかねている編集者を忘れたことはついぞない。編集者はまずまっさきに訳稿に目を通す第一読者である。読んで忌憚《きたん》のない感想を聞かせてくれるのも、不備を見つけて駄目を出してくれるのも編集者で、この過程を抜きに本はできない。時たま訳の途中で対話する機会もある。原作を受け取る際にはかなり踏みこんだ話をする。場合によっては訳稿を挟んで議論を交わすこともある。という次第で、本は訳者が単独で作るのではない。本作りの中心は編集者で、訳者は素材の原稿を用意するだけだといっても過言にはなるまい。文章作品は、つまるところ、ただ一人に宛てた手紙だと、スティーヴン・キングもいっている。意中の読者と思い定める編集者がいるかどうかは仕事の張り合いにもかかわることである。四十年の個人体験をふり返ってみれば、編集者と存分に気持を通わせた仕事ほど成功している。そうしてつきあった中には、うるさ型の読者や評論子を向こうにまわして、文句があるならこっちへ持ってこいと胆《きも》の据わったところを見せる硬骨漢もいれば、仕事を離れていっそう心安くなった器用人もいる。一冊の本が書店の棚に並ぶまでには編集者のほかにも、校正者や、版面を作るブックデザイナー、装幀家などが知恵を寄せ合い、努力を払う。本にはそこに携わった人々の思い入れが詰まっていることをいっておきたい。

記憶の本箱

ユースクェーク

四十年前に話を戻すと、『パイド・パイパー』でどうやら使える訳者と目されたか、ぼちぼち注文が来るようになった。テキストが映画の原作となると封切りに合わせるのが鉄則だから、何はともあれ無理のきく訳者に声がかかる。そのせいもあって、駆け出しにしては仕事に恵まれたと思う。締め切りをゆるがせにしてはならないことも早いうちから肝《きも》に銘じた。そこは若い強みで、期日に追われて辛かった記憶はほとんどない。その流れで引き受けた作品の一つに、ロバート・マリガン監督で映画になった『幸せをもとめて』がある。著者のトーマス・ロジャーズは何度か全米図書賞の候補に推されている書き手でこれが処女作だが、大学で教壇に立っているところは『ある愛の詩』のエリック・シーガルと同じだった。邦訳を出した角川文庫もそこを意識して、柳の下を当て込んだ節がなくもない。もっとも、二作に共通するのは大学の教師が書いた小説ということだけで、『幸せをもとめて』はある意味で時代の証言とも読める内容を孕《はら》んでいる。

作中、とりたてて言及されてはいないものの、ヴェトナム戦争が全米に影を落として少なからぬ市民が社会の軋《きし》みを体感した当時の話である。裕福な家庭に育った主人公、ウィリアム・ポッパーは学生運動の闘士でありながら方向を見失い、既成の価値観とも折り合えずに中途半端に生きている。そのウィリアムが車で人を撥《は》ねてしまい、過失致死罪で服役した刑務所で囚人同士の喧嘩から起きた殺人事件を目撃するのだが、検察側証人として出廷を求められた裁判所の警備が手薄だと知ってふらりと脱走し、同棲相手の女子学生、ジェインとメキシコに亡命して新しい生活をはじめる筋書きである。『幸せをもとめて』はアメリカの独立宣言に謳《うた》われている「幸福探求権」を踏まえた題名で、体制疲労を来した国家を見限って新しい価値体系を渇望する若年層《ユース》の心象風景を作者は語っている。六〇年から七〇年にかけて学生を中心に若者の間に広がった反体制行動を地震《アースクエーク》の語呂合わせでユースクェークという。

『さよならコロンバス』、『ポートノイの不満』などで知られる作家フィリップ・ロスはトーマス・ロジャーズを「アメリカのイーヴリン・ウォー」と呼んで絶賛した。なるほど、俗に堕さずに飄逸《ひょういつ》な、それでいて即物的な話術は『黒いいたずら』の作者に通じるものがある。さりげない中に虚を衝《つ》く寸言が投げ込まれていて油断できない。地の文もさることながら、気のきいた会話は生きがいい。主人公、ウィリアムが下宿を訪れた叔母と交わす冒頭のやりとりから、さっそく軽快な響きが伝わってくる。

「ガールフレンドがいるんなら、せめて部屋の掃除くらいはしてもらいなさいな。こんなことをしてては駄目よ」

「あの子はね、どっちかっていうと頭を使う方なんだ。フォークナーなんか読む女が、家のことをちゃんとした例しがないじゃないか」

「私、フォークナーを読みましたよ。でも、立派に主婦は勤めてるつもりよ」

「へえ。フォークナーの何を読んだの？」

「フォークナーの話をしにきたんじゃないことよ」


そのガールフレンドとウィリアムはベッドで話し合う。


「やっぱり、結婚した方がいいかもしれないな。結婚しないままでいることの意味はあまりないんじゃないかと思うんだ」

「結婚したってしなくたって、こうしてる分には同じじゃないの」

「でもさ、結婚してれば、君は夜中に寮へ帰らなくたっていいんだ。シンデレラみたいに」

「けど、これはこれで悪くないでしょ。夜通し一緒にいたら、どうなると思う？」

こうした飾り気のない会話が半ば以上を占める作品だが、読むほどに短い言葉が重みを増す仕掛けがあって、行き届いた著者の計算は心憎い。説明を切りつめて、話し言葉で人物を描写し、背景を語り、急テンポで筋を運ぶトーマス・ロジャーズの筆力に驚き入ったことを憶えている。圧巻は『桐一葉』の淀君を彷彿《ほうふつ》させるウィリアムの祖母で、厳格を通り越した頑迷固陋《がんめいころう》は畸人の域だろう。事故の加害者となった孫を庇う強弁は並大抵ではない。

「ウィリアムが撥ねた女、コンロイとやらは酔っていなかったっていうんですか。コンロイはアイルランド系の名前ですよ。アイルランド人はみんな酒飲みです。昼間っから飲むんですからね。その女が酔っていなかったかどうかわからないのは、警察がアイルランド人のかたまりだからです。ウィリアムは運転が上手よ。酔っていなければ女は自分から車を除けたはずでしょう。血液中にアルコールがないかどうか調べてもらわないと、アイルランド人ばかりの警察と、カトリックの神父が手を結んで、ウィリアムに不利なように持っていくじゃありませんか……」

　そんなわけで、この老女はケネディの民主党を蛇蝎《だかつ》のごとくに忌み嫌っている。類縁もみな共和党だが若い二人が民主党支持であることはいうまでもない。ほかに、穏健な良識派の父親と、その別れた妻、ウィリアムのために一肌脱ぐ弁護士、学生仲間で偽悪趣味の道化を演じながら、その実めっぽう情に篤《あつ》く、最後までウィリアムとジェインを支援するユダヤ青年など、それぞれの立場でアメリカを体現する人物がいずれ劣らず彫りの深い際立った個性で描かれている。時代の波に揉《も》まれてさまざまに異なる価値観が相克するユースクェークの断面をまっとうに語った好編である。思うに、まだ日の浅い職人以前の訳者にはずいぶん贅沢《ぜいたく》な仕事だったかもしれない。ただ、映画は当たらず、封切りから間もなくお蔵になって、文庫もさっぱり売れなかった。

安楽椅子旅行者

この頃から、ハモンド・イネスのお供で世界をあちこち歩くようになった。もちろん、机の上のことである。訳者が作品の舞台となっている土地へいちいち足を運んだ日にはたちまち足が出てしまうから、旅行の機会はめったにない。人さまのことは知らず、机上の旅は面倒な手続きもいらないし、何よりも身軽なところがいい。作者にくっついてどこへでも出かけるのは安楽椅子旅行者の特権である。冒険小説では右に出る者なしといわれて巨匠の名をほしいままにしたハモンド・イネスは〈フィナンシャル・タイムズ〉の記者を皮切りに、第二次世界大戦中はイギリス砲兵隊に加わって軍の雑誌編集に携わるかたわら小説に筆を染め、戦後、文筆に専念して矢継ぎ早に作品を発表した。処女作とされている『海底のUボート基地』以前にも小説が四編あるのだが、これらは著者自身が出来映えに満足できないことを理由に絶版にした。

翻訳者の立場ではじめて手に取ったイネス作品は一九五〇年の『怒りの山』で、ハヤカワ・ノヴェルズで出た。大戦の余燼《よじん》もおさまって、ヨーロッパが荒廃から立ち直りかける一方、鉄のカーテンが東西冷戦の構図をいよいよ強固にした当時の情況を背景に、剝き出しの欲望と怨念が交錯する冒険活劇だが、発表から半世紀近くを経てハモンド・イネスの歯切れのいい文章はいささかも古びていない。とりわけ作中の眼目、ヴェスヴィオ山噴火のくだりは行間から熱気が吹きつけてくるようで、実に圧倒的である。

……窓いっぱいに毒花のような焰《ほのお》が広がり、轟然たる音響が天を閉ざした。何千という急行列車が一時にトンネルを通過していく音だった。大地もふるえるまでに増幅されたライオンの咆哮《ほうこう》だった。天体の衝突によって今しも地球は真っ二つに裂けようとしているかと思われた。……目の前で、ヴェスヴィオの山頂が紅蓮の炎に包まれていた。二本の巨大な火柱が山の斜面を駆けあがり、火口からは太い火焰が立ち昇った。その根本は赤く、空に広がるにつれて先端はおどろおどろしく黒ずんで、あたかも断末魔の苦しみに身をよじる蛇のように渦巻きながら空を焦がしていた。黒い煙の幕をつんざいて稲妻が走った。轟音は信じがたいほど長く続いた……。

周知のとおり、ハモンド・イネスは荒ぶる自然を人物と同等の比重で描くことを常とした。自身、こよなく海を愛する航海家であり、冒険者でもあったハモンド・イネスは旅の体験と徹底した現地取材に基づく巧妙な情況設定の上に個性豊かな人物を配して虚実の間に絢爛《けんらん》たる物語世界を展開する。いずれの作品も痛快な冒険小説の形を借りた旅行記たる所以である。

アメリカの旅行雑誌〈ホリデー〉に寄稿した文章を『旅の収穫』と題してまとめた中に、この作者としては珍しい随想「霧」がある。霧の気象学的考察から説き起こして、古今の文学に扱われている霧に触れ、海の霧の恐ろしさを体験に照らして語る話術はその滋味ゆえに、ふとわが寺田寅彦の随筆を思わせる。続編に当たる『海と島々』は自家用のヨット〈メリー・ディア〉号で北大西洋から地中海、さらにはインド洋にまたがる広い範囲を航海したおりの日誌に筆を加えた紀行文集である。一九五六年の書き下ろし、『メリー・ディア号の遭難』の主人公ともいうべき貨物船の名をそのままに用いているのは、作品の成功を記念する心であろう。ギリシア水軍の目でトロイアを眺め、イサカの海にオデュッセウスの足跡をたどるハモンド・イネスの感性は瑞々しい。行く先々でこの冒険家の見たものが後の作品でどのように変容するか、ハモンド・イネスの小説作法を知る上でも見逃せない一書である。

ハモンド・イネスの作中人物はみな日常に潜む些細なきっかけに促されて冒険の旅

に出る。そのことを指して、ハモンド・イネスの主人公を「巻きこまれ型」と評する向きも一部にあるが、果たしてそうか。そのきっかけは偶然のようでありながら、実は運命が突きつける挑戦にほかならない。主人公は自らの意思において挑戦を受けて立った時、はじめて冒険者たることを許される。してみると、ハモンド・イネスは物語を通して絶えず冒険者の資質を問い続けたのではなかろうか。われと我が手で運命を手繰《たぐ》り寄せることが英雄の条件であって、自ら招いた苦難に堪える孤心こそが、ハモンド・イネスの描く冒険者の真骨頂と思われる。未訳の長編、一九九六年の『デルタ・コネクション』を絶筆として、ハモンド・イネスは一九九八年に世を去った。冒険小説のほかに児童向けの読み物と、史伝、紀行を含めて、都合、三十数点の作品があるうち、機会を得て十編を日本語にしたのは訳者冥利と言わなくてはならない。

二冊のビートルズ伝

痛快な冒険旅行の合間には、これも相伴で、時たまロックやジャズの世界に遊ばせてもらった。今でこそビートルズは伝説の靄《もや》につつまれた遠い過去の存在かもしれないが、前半生の記憶からこのグループを消し去ればたちまちにして青春時代の輝きが失せる年齢層はまだまだどっこい生きている。六〇年代のはじめに彗星のごとくに現れて瞬く間に人気の頂点に登りつめ、ポップカルチャーの歴史を書き替えて、七〇年に未練げもなく解散したビートルズの軌跡は風化を拒んで先々なお光芒を放つことだろう。アメリカ人ジャーナリストで作家のジュリアス・ファストによる評伝『ビートルズ』は一九六八年の書き下ろしで、拙訳は七二年に角川文庫で出た。ジュリアス・ファストは一九四六年に創設されたアメリカ推理作家協会賞の処女長編部門で最初に受賞した経歴の持ち主だが、日本では人間の動作が言葉以上に多くを語ることを論じた『ボディ・ランゲージ』が読者を摑んで、その名は今も広く知られている。

ジュリアス・ファストがビートルズ伝を発表した六八年に、同じく作家でジャーナリストのスコットランド人、ハンター・デヴィスが実録『ビートルズ』を著し、これは角川文庫より一足早く一九六九年に草思社が小笠原豊樹・中田耕治訳で刊行して売れに売れた。六〇年代に世界を席巻したグループをはからずも英米両国の著者が同時に取り上げ、空前の社会現象を分析してみせたのがこの二冊の『ビートルズ』だった。それぞれにビートルズを語って委曲を尽くした労作だが、ハンター・デヴィスの文章が読者に崇拝や畏敬を強いるような調子の高い書き方であるのにくらべて、ジュリアス・ファストは虚心坦懐で、自身、ファンの一人であることを素直に楽しんでいる趣がある。

はじめてアメリカで演奏した六四年、ビートルズ人気はすでに若者の間に深く浸透していたにもかかわらず、大人世代は迂闊《うかつ》にもさほどとは知らなかったから、四人のリヴァプール青年を黄色い声で歓迎する少女たちの熱狂ぶりにはただ驚き呆《あき》れるばかりだった。意識が後れていたというまでの話だが、ジャーナリズムはその無理解を棚に上げてさっそくビートルズを扱きおろした。

「ビートルズが現代の娘たちに与えているものは、エルヴィス・プレスリーが年上の娘たちに、フランク・シナトラが母親たちに与えたものにはおよびもつかない」

ビートルズ熱は痲疹《はしか》と同じ一過性の流行と高をくくった批評が的はずれだったことはいうまでもない。四人の個性が足し算ではなく、掛け算の積となって煌《きら》めきのある響きを生むところはビートルズの独擅場で、あの程度のグループならほかにもぞろぞろいるといって拍手を惜しむのは狭い了見だ。現にアメリカへ乗りこんだ時点でビートルズは以前のシナトラやプレスリーと人気を分かつまでになっていた。ビートルズの磁力にいちはやく感応したのは、当然、地元リヴァプールの若者たちだったが、青少年の動向に深く関心を寄せていたアメリカのテレビ司会者、エド・サリヴァンはイギリスでティーンズの歓声をじかに聞き、これこそはかつてプレスリーをスターの座に押し上げたと同じ熱い風と直感してビートルズを自分の番組に招いた。

プレスリーの模倣から出発したビートルズは、無軌道なふるまいで顰蹙《ひんしゆく》を買ったこともしばしばながら、技倆に裏づけられた斬新な発想でロックの地平を切り開いた。ジュリアス・ファストはこの評伝でビートルズサウンドの変遷に多く紙幅を割いているが、ジョン・レノン／ポール・マッカートニーの詩についてうなずける指摘もある。音楽の上で、また詩作の面で、ビートルズはアルバムごとに大きく飛躍した。「イエスタデイ」が人気をさらってフランク・シナトラ、ペリー・コモ、アンディ・ウィリアムズといった歌手たちが競ってレパートリーに取り入れたあたりから、ビートルズは向かうところ敵なしが通り相場になった。同時にビートルズの音楽は内攻的な響きを帯びはじめる。ジュリアス・ファストは書いている。

ビートルズ音楽が人に与えるもの、特にその成長につれて明らかになっていく色彩は孤独である。

ビートルズが実験を重ね、探究を進めた果てに聴衆の前から姿を消し、録音スタジオで人工的な音を作るようになったことを踏まえた発言だが、〈サタデー・レヴュウ〉の評者ピーター・シュラグもこの時期のビートルズを論じた中でいっている。

ビートルズの音楽はまぎれもない文学であり、評論であり、時代の篩にかけられて、世代から世代へ浸透するたぐいのものである。

いずれもビートルズが垢抜《あかぬ》けして辛辣な、時に悲愁に満ちた言葉で描き出す人間の姿にポップスの枠を超えた古典の要素を見て取っている。さしずめ、孤独を歌った曲の代表は「エリナ・リグビー」であろう。曲中のエリナ・リグビーは人に素顔を見せず、玄関脇の甕《かめ》にしまってある顔をかぶって誰を待つともなく窓辺に佇んでいる。マッケンジー神父は夜更け方、自分で靴下の穴を繕い、人が耳も傾けない説教の原稿を書き綴《つづ》る。音楽プロデューサーで、優れた音響技師であり、かつ有能な編曲者でもあったジョージ・マーティンの弦楽八重奏と、ポールがリードを歌うアンサンブルが効果を発揮して寂寥《せきりよう》を物語る絶品である。人間の深い孤独をかくも冷徹に描いた曲はざらにない。

という次第で、ジュリアス・ファストのこの本は文章が手際よく、内容も親切で、新しくビートルズに接するには手頃な読み物になっている。ハンター・デヴィスの決定版という名望に押されてあまり注目はされなかったが、そこそこ版を重ねたし、ビートルズとは同世代の誼もあって訳者には懐かしい仕事である。ビートルズの本はもう一冊、アラン・ウィリアムズの『ビートルズを手放した男（一九七五）』を訳している。これは『ビートルズ派手にやれ！　無名時代』の邦題で草思社から出た。著者、アラン・ウィリアムズはビートルズの初代マネージャーで、いつも薄汚い格好をして腹を空かしていた無名のグループにプロとしてはじめての仕事を世話してからブライアン・エプスタインに引き渡すまで、ほぼ三年間、親身になって面倒を見た。事実上、ビートルズの発見者である。ビートルズに転機をもたらした出稼ぎのハンブルク行きを手配したのもこの人だった。

　私はビートルズがショウビジネスの歴史はじまって以来最大のスターになろうとする、その寸前に金の卵を手放してしまった。そのために幾晩も眠られぬ夜を過ごしたろうと読者が想像するならば、その想像は当たっている。あのグループと巨万の富が指の間を抜け落ちていったことを思うと今も夜中に目を覚まし、壁を睨《にら》んで歯噛みをすることがある……。

　悔やんでもあまりある切歯扼腕《せっしやくわん》の慷慨《こうがい》にはじまるこの本は、ビートルズ育ての親の自負と誇りが怨念を払いのけて、傑出したビートルズ伝たり得ている。一九六〇年代を知りたければビートルズを聴けとはよくいわれることで、その時代を肌で知り、同じリヴァプールの空気を吸って人となった著者が語るビートルズの素顔は凡百の伝記作家が逆立ちしたところで描けるものではない。

　アラン・ウィリアムズはジョン・レノンと十違いだから、ビートルズと出逢った頃は三十前後の計算である。正規の教育は受けていず、鉛管工から、書籍、タイプライター、家電製品のセールスマンを経て、リヴァプール市内に潰れた時計屋の店を買い取り、これを改装して開いたコーヒー・バーが下層の若者たちの溜まり場となって、ビートルズも常連だったことからマネージャー稼業に手を染めた。この本を書いた時は興行界から手を引いてビルの解体業を営んでいた。何はともあれここに登場する若いビートルズの奔放にして一途な姿は、かつて足を棒にして裏通りを歩いた著者が自身の境遇を接眼レンズに至近距離で捉えた実写である。ほかでは求むべくもない一書の価値がそこにある。リヴァプールの場末の猥雑《わいざつ》な風俗と殺伐とした時代相を等分に見すえているところもいい。まだグループの体をなしていないビートルズをプロに育てる心意気で、著者は自分の店を練習所に提供する。当時の演奏はけたたましいばかりで、騒音の域を出ていなかった。

その聞くに堪えない演奏も、やがて上達して客はけなさなくなった。日増しに上手くなっていくのが聞いていてわかった。そしてとうとう、私の体の奥で何かがビートルズの音楽に感応して揺れ動きだした。瞬く間に世界を席巻することになるあの強烈なビートルズ・サウンドは急速に形をなしつつあった……。

ビートルズのプロ初仕事はダンスバンドで、場所は十代の愚連隊同士が夜毎に小競り合いを演じ、乱闘騒ぎを起こすことで有名な暴力ダンスホールだった。ステージに立つグループはいずれも女の子が目当てで、それが喧嘩の種である。男どもは少女らの関心を演奏グループから自分たちに向けようとして騒ぎを起こす。

ところが、ビートルズは音楽も、見た目の魅力も、男女両方に訴えるものを持っていた。これこそが大成功の秘密であることは疑いない。

はじめての演奏でビートルズは十ポンドを受け取った。マネージャーの仲介料を差し引いてグループの取り分は八ポンド、映画の切符一枚ほどである。著者の店でビートルズの面々はいかにも嬉《うれ》しそうに、はじめて手にした出演料を分け合い、パン屑《くず》が散らばってコーヒーカップが並んだテーブルの上でいつまでもそのわずかな金を数えていた。ビートルズにもそんな時代があったのだ。楽器も音響装置も満足に揃っていなかった。ある時、ビートルズは大掃除といって店の戸棚からブラシやモップの柄を持ち出した。不思議なこともあるものと、著者は演奏がはじまったステージを覗《のぞ》いた。

とてもきれいな女の子が三人、ビートルズの足下にしゃがんでモップとブラシを支えていた。マイクスタンドを持っていないビートルズはモップやブラシの柄にマイクをくくりつけて間に合わせていたのだ。巧みに女の子を口説いてマイクを持たせたのである。珍妙な光景だった。客たちは笑った。以来、掃除道具の代用マイクスタンドはすっかりビートルズのトレードマークになり、常連の女の子の間でマイクを持つ光栄を争ってつかみ合いが起きるありさまだった。

すでにビートルズ人気はそこまでになっていた。とはいえ、まだまだ食うや食わずの名もないグループで、口がかかればストリップ小屋でも潜りのバーでも演奏するしかなかったが、期するところあって、その日暮らしも苦ではなかった。

最後の酔っぱらいが最後の娼婦を連れて立ち去り、不夜城のようなバークリー街さえもがその充血した目を閉じてほんの短い眠りに就こうとする頃、くたびれきったビートルズたちは赤線地区の胎内に丸くなって微睡《まどろ》んだ。

ページを繰るごとにこうしたビートルズ前史が語られて、いつか読者を巻擱《お》く能《あた》わずの興趣に誘いこむ。そのあたりの呼吸を心得た著者アラン・ウィリアムズの巧者ぶりには訳を進めながら何度か思わず膝を叩いた。ビートルズの音楽を大きく開花させる触媒の必要を感じてハンブルクを訪れた著者は、ドイツ人グループの演奏する「ロックンロールらしきもの」を聞いてにんまりする。そのグループには身についたリズムがなかった。強烈なリヴァプール・サウンドに馴染《なじ》んだ耳に、ハンブルクのロックはまるで軍楽隊の葬送行進曲だった。いや、そればかりではない。

ふいにバンドが演奏を止めると司会者が登場して、これからジューク・ボックスの音楽を流すといった。客たちの間に期待が大波のように膨れあがるのがわかった。客たちが待ち構えていたのはまさにこの瞬間だった。ジューク・ボックスからエルヴィス・プレスリーとトミー・スティールがけたたましく鳴りだした。客たちは熱狂した。たちまちフロアは逆巻く人の波でいっぱいになった。巨大なアドレナリンのパイプラインが通じたかのように、店内は潑剌《はつらつ》とした生気と熱気に満たされた。ちゃちなジューク・ボックスにこの反応である。リヴァプールの生身のグループを連れてきたらどうなるだろう。私は、これだ、と思った……。

珍道中を重ねてハンブルクに乗りこんだビートルズは、果たせるかな、行く先々で爆発的な人気を呼んだ。ビートルズもこのいささか物騒な街が気に入って、時に羽目をはずす場面もあったが、持ち歌の題にあるとおりのハード・デイズ・ナイトを苦もなくこなした。やがて世界に君臨することになるビートルズの音楽は、温室に開く異国の花のように咲き誇った。機は熟したはずだった。が、好事魔多しという。ほんの些細な金銭上の行き違いからビートルズとの関係にひびが入り、後に和解するものの、親友ブライアン・エプスタインにグループを譲って身を退くまでを著者は溜息まじりに語っている。年譜では無視されるか、せいぜい数行で片付けられるであろうビートルズ前史をこんなにもたっぷり読ませてくれる本はない。ビートルズのメンバー個々に対する著者の距離の置き方に微妙な違いがあって、そこを読み分ければそれぞれの人物像がいっそう精彩を放つあたりも興味深い。著者自身が意識してそういう書き方をしていないだけになおのことである。ビートルズが人々の記憶に生き続ける限りこの本は残るに違いない。アラン・ウィリアムズはもって瞑すべしだろう。

チャーリー・パーカーとアメリカ社会

話は変わって、ジャズの歴史に一時代を画したアルトサックスの巨人、チャーリー・パーカーの伝記である。『バードは生きている――チャーリー・パーカーの栄光と苦難』と題するこの大冊がどういう経緯でまわってきたかは憶えていない。著者ロス・ラッセルはダイアル・レコードの創立者で、パーカーの名演を多く録音したほか、シェーンベルクなど新しいヨーロッパ音楽の普及に努めた人物だが、ジャズ評論でも優れた仕事があって、とりわけここに触れる一九七三年のパーカー伝は単に一演奏家の生涯をたどるに止まらず、ジャズ文化を切り口に広い視野でアメリカの半世紀を語った本寸法の社会史である。

バードことチャーリー・パーカーはジャズ発祥の地としてニューオーリーンズと並び称されるカンザス・シティに生まれ育った。黒人学校リンカーン・ハイでブラスバンドに加わったのが原点で、理解ある母親が中古のサックスを買い与えてパーカーは音楽にのめり込み、自学自習でこの楽器をものにした。カンザス・シティがアメリカのどこよりもジャズの盛んな街だった時代である。いたるところのクラブやダンスホールで錚々《そうそう》たる演奏家たちが芸を競っていた。パーカー少年は夜な夜な木戸番の目をかすめて入りびたり、思うさまジャズの神髄に身をさらしたが、中でもカンザス・シティ・ジャズの第一世代、カウント・ベイシーや、プレジデントと呼ばれたサックスの名手、レスター・ヤングは強くパーカーの心を捉えた。

二十歳になるやならずで頭角を現したパーカーは、後にビバップで開花する新しいジャズをほぼ自家薬籠中としていた。もっとも、よくいわれるように大神ジュピターの眉間から完成した姿で飛び出した天才では必ずしもなかった。パーカーがずば抜けた奏者であることに議論の余地はないとしても、その才能を引き出したのは生まれ故郷の街、カンザス・シティの音楽環境と、優れた資質の上に蓄積した無量の体験である。これはモーツァルトが十八世紀のザルツブルクという音楽の都から現れた事情と軌を一にしている。オペラやコンサートホール、数多の演奏家や有能な教師、理解ある熱心な聞き手、理想的なパトロンと、条件に恵まれてモーツァルトは存分に楽才を発揮した。パーカーの場合は同時代の庶民であるアフリカ系の黒人たちが層の厚い環境を作っていた。音楽はいうにおよばず、パーカーはあらゆることに貪欲で、時として奇矯が度を超すこともあったが、異端視され、挫折を味わいながらも、ほとんど独力で四十年代のジャズ革命をなし遂げた。パーカーの生きざまは、当時、黒人の置かれていた情況を抜きには語れない。陰画に光を通して陽画を焼くように、著者ロス・ラッセルは黒人社会を凝視することでアメリカの現実を浮き彫りにしてみせた。

ジャズ愛好家ならずとも発見の種は尽きない大著だが、ここは拙訳の後記をあらまし引いて内容紹介に代えたいと思う。

英雄は常に悲劇の主人公たるにふさわしいと考えられている。チャーリー・パーカーの場合もまた例外ではない。散見される評伝の多くが、何らかの形でこの鬼才を悲劇的に扱っている。いかにも、パーカーは孤独と挫折と病苦とに押しひしがれていた。しかし、本当に最後の最後まで悲劇の人だったろうか。パーカーがあらゆるものに異常なまでの好奇心を示し、才能を惜しげもなく浪費して肉体を酷使しつつ、長くない生涯を駆け抜けた姿を眺める時、誰しもまず、その旺盛なエネルギーに圧倒される思いを懐《いだ》くであろう。そして、そのエネルギーの秘密に笑いを考えることはまったく無理な相談だろうか。

パーカーがあらゆる価値の倒錯に専念した抵抗者だったことは周知の事実である。その行動は時にグロテスクでさえあった。進んでそういう姿をさらしてまで抵抗を貫いたというべきであろう。今さら断るまでもなく、それはアフロ・アメリカンの情況に対する認識に根ざすところだった。パーカーが陳腐な旋律を完膚無きまでに否定し去った後、そこからジャズの新次元を拓《ひら》く卓抜な音楽を引き出してくる手法は、もちろん、桁外れな才能を示すものにほかならないが、同時にそれは抵抗の姿勢を如実に語っているのではあるまいか。あえて抑圧の中に身を投じ、のしかかってくる力を自らのうちで推進力に変換して抑圧を乗り越えるのがパーカーの方法だった。これは抑圧下にあって、抑圧者の心胆を寒からしめる抵抗者の笑殺の精神でなくて何であろう。そして、これはまた、英雄の方法ではなく、古来、虐げられつつ決して息絶えることのなかった大衆の方法である。エネルギーの源泉である。そして、このエネルギーこそはジャズをジャズたらしめるあのリズムの本質である。

チャーリーの巨軀《きょく》には、そのような大衆の笑いが秘められていた。抵抗者は自由を愛する者である。自由を愛する者は常に笑いを求める。だから、チャーリー・パーカーを悲劇の主人公に祀《まつ》り上げては、どうも褒め方が足りない。チャーリーは笑う男だと思いたい。その笑いはアフロ・アメリカンの心を代表する黒い笑いである……。

〈野性時代〉の頃

草思社編集部の心遣いでチャーリー・パーカーのレコードを聴き漁《あさ》り、中にはリハーサル風景の珍しい録音もあって、この仕事ではいい思いをした。時にはこんな余得が励みになる。ジュリアス・ファストの『ビートルズ』がいくらか売れて、それまで掛け持ちで続けていた映像の仕事からは手を引いた。いやなに、売れたといっても高が知れている。自由業とは表向き、ありていは潜在失業者だから安閑としてはいられない。さてどうしたものかと思案しているところへ徳間書店の月刊誌〈問題小説〉からペーパーバック抄訳の注文が来た。全訳すれば四百字詰めで五百枚前後の読み物を五十枚にまとめる仕事である。

その頃、〈問題小説〉は「キッチュ・エロチカ」を看板に掲げていた。キッチュは下手物《げてもの》、ないしは際物《きわもの》を意味するドイツ語で、英語でも俗受け狙いの露出趣味をいう。つまりは十八歳未満お断りと思っておけば間違いない。作品の中身は二の次で、とにかく猥《みだ》らな場面をどぎつく、というのが編集側の要望だった。これにはちと往生したが、何だろうと依頼があれば引き受ける建前だから、仕事は仕事と割りきって月々の責めは塞いだ。編集者から、もっと露骨に、と駄目を出されるのは毎度のことだったけれどもだ。潜在失業者が内職というのはおかしな話かもしれないが、本業の合間にこの雑誌で抄訳した作品はかなりの数になる。後年、寺子屋もどきの翻訳学校に呼ばれて講師を勤めた際、以前はポルノも盛んにやりましたと昔語りに聞かせたところ、若い女性が大半の受講者たちは揃って目を丸くした。さもあろう。

雑誌といえば、一九七四年に角川書店が〈野性時代〉を創刊して、裏方の手伝いにちょくちょく駆り出された。〈野性時代〉は毎号、長編小説一挙掲載が売り物で、その目玉作品を校了間際に走り読みして解説を書いたことも何度かある。署名入りではなかったが、翻訳者にそこまで任せてくれたのは編集の粋な計らいだったろう。この雑誌からは文学賞作家が輩出しているし、読み応えのある対談も少なくなかった。眉村卓氏と故福島正実氏が俳諧両吟の要領で、章ごとに交替で長編を書き進める実験小説の試みもあって、元気のいい雑誌だった。名前を出すことは差し控えるが、ある時、作家の某氏がどうした事情か二百枚の穴を開け、急遽その分を埋める代役がまわってきた。締め切りはとうに過ぎている。翻訳ものは〈野性時代〉の路線にないけれど、この際そんなことはいっていられない。ペーパーバックを一冊渡すから、二百枚ちょうどで仕上げるようにと、編集部の厳命である。著者も書名も失念したが、預かったのは一九六三年のケネディ暗殺で容疑者オズワルドが用いたとされている凶器の考証で、鉄工業や銃砲の歴史から説き起こした技術論集だった。〈野性時代〉はその要約を「大統領を撃った銃」の題で掲載して欠号を免れた。編集部のいいつけに従って、二百枚目の最後の枡《ます》に「。」が来るように案配したのはほんの戯れで、とにもかくにも埋め草の代役は無事に果たした。その昔、こんなこともありましたっけという懐旧の切れ端である。

マフィア・ブーム

これより少し前の一九七一年に、当時アメリカでニュー・ジャーナリズムの旗手と名も高かったピーター・マーズの『ヴァラキ・ペイパーズ』が常盤新平氏の訳で出て非常な反響を呼んだ。邦題は『マフィア——恐怖の犯罪シンジケート』で、版元はリーダーズ・ダイジェストだった。今ではマフィアといっても人は驚くまいが、この本が紹介されるまで、十七世紀シチリア起源の秘密結社が日本で話題になることはめったになかったように思う。イタリア系の移民がアメリカに組織を持ち込んで、現在も全米に隠然たる勢力を張っている。マフィアの成員だったジョゼフ・ヴァラキが一九六三年に上院公聴会で組織の内幕を暴露して、ほとんど知られていなかった暴虐の実態が明るみに出た。その後、ヴァラキは獄中で厖大《ぼうだい》な自伝を書くのだが、それを聞き伝えたイタリア系の市民団体が人種偏見を助長するものであるとして出版に異議を唱え、刊行にはいたらなかった。監修の肩書きで手を貸す約束だったピーター・マーズがヴァラキの原稿をもとに、インタヴュウを重ねて書き起こした作品が『ヴァラキ・ペイパーズ』である。アメリカの出版界にはマフィアものは売れないというジンクスがあり、ほかにも何かと制約があってなかなか本にならなかったが、紆余曲折の末、一九六八年にパトナムが版行を英断して大当たりを取った。一九七二年にはテレンス・ヤング監督、チャールズ・ブロンソン／リノ・ヴァンチュラ主演で映画化されて、これは日本でも人気をさらった。

ほぼ時を同じくしてマリオ・プーヅォの『ゴッドファーザー』が早川から一ノ瀬直二訳で出て空前のベストセラーになり、こちらはフランシス・コッポラ監督、マーロン・ブランド／アル・パチーノで映画界の話題を独占した。マーティン・バルサムとフランコ・ネロのイタリア映画『警視の告白』もこの頃で、マフィア・ブームは止まるところを知らず、その煽《あお》りで翻訳の世界も一時期マフィアならでは夜も日も明けなかった。そこへ登場したのがドン・ペンドルトンの『死刑執行人シリーズ――マフィアへの挑戦』である。東京創元社が「創元文庫五〇〇点刊行突破記念」と銘打って七三年に第一巻を出してから同友、高見浩と相乗り十二年の長丁場だった。そういう関係だから敬称略でご免こうむるのだが、縁あって高見浩とはほかにも何度か共訳の仕事をしている。『死刑執行人シリーズ』はヴェトナム帰還兵のマック・ボランが家庭崩壊をマフィアの仕打ちと知って復讐《ふくしゅう》の鬼と化し、全米を駆けめぐって各地の組織《ファミリー》に鉄槌《てっつい》を下す筋立てで、作者ドン・ペンドルトンは一話ごとに手を替え品を替えしながら、強大な悪の象徴に立ち向かう一匹狼の定形を律儀に守って三十八巻まで書き続け、マック・ボランという古風にしてかつ新奇な主人公を造形した。

いかにも、マフィア・ブームの背景があったのは事実だが、それとても遠からず飽和するであろうことは目に見えていたから、超人マック・ボランが果たしてどこまで日本の読者を引きつけるかは疑問なしとしなかった。ところが、いざ蓋を開けてみるとシリーズはことのほか評判がよく、続刊を待望する声がようやく高まった。ペンドルトンの第一作をＮＨＫが西村晃、高橋長英、竹下景子の出演で放送劇にしたのも、マック・ボランが受ける時代の風潮を睨《にら》んだ上だろう。アメリカでは主人公がヴェトナム帰還兵という設定に読者大衆の共感が集まった。作中にボランの述懐がある。「どうやら俺は敵を間違えていた。自分の国で、自分の家で、俺が大切にしているものを片っ端からめちゃめちゃにする敵があるというのに、なぜ八千マイルも離れた他国の前線を守らなくてはならないのか？」泥沼のヴェトナムに対するアメリカ市民一般の幻滅を反映する科白《せりふ》である。日本では、通勤時間の延びたサラリーマン層が行き帰りの車中で気楽に読める娯楽小説としてこのシリーズを歓迎した。ボランの破天荒なふるまいが管理社会の鬱屈を癒《いや》す一服の清涼剤と受け取られた側面もある。シルヴェスタ・スタローンが映画化権を買ったような話も聞こえてきたが、そうなるとマック・ボランに屈服するしかないマフィアから横槍《よこやり》が入ったとかで、今日にいたるまでついぞ映画化は実現していない。

創元文庫のシリーズは編集の判断で、二十作をもって完結する体裁になっている。三十八巻以降はハーレクィンが登場人物を継承して、一団の覆面作家がドン・ペンドルトン名義で亜流の作を量産したから、点数を限った文庫の対応は妥当だったといえる。シリーズの途中で目先を変えて、巻末に訳者対談を載せることになったのだが、テープレコーダーを挟んで向き合いはしたものの、対談とは名ばかりで、実際は勉強家で視野の広い高見浩の独演だった。シリーズの成り立ちにはじまって、主人公の性格分析、日米の比較に意を用いた作品論と、備えは万全である。片や、訳者その二は宿題を怠っているものだから、話す材料などありはしない。ときおり「そうですね」「ははあ、なるほど」と相槌《あいづち》を打つのが精々だ。これを高見浩がテープから起こして、活字になったものを見て驚いた。何と、独り舞台で語ったことをほどよく割りふって淀みない対談に仕立てているではないか。翻訳以前に雑誌の取材、編集で鍛えた高見浩にしてみればこれくらいはお手のものだったかもしれないが、その器用なあしらいには舌を巻いた。

丸谷才一氏の小説『たった一人の反乱』がそのまま流行語になっていたためかどうかはともかく、たった一人のマック・ボランが思いがけずも好意的に迎えられて、われわれ訳者もほっとした。アンソニー・バージェスの小説『時計じかけのオレンジ』をスタンリー・キューブリックが映画化して、鮮烈な暴力描写で観客の度肝を抜いたのがちょうど同じ頃だったが、邦画は斜陽といわれてすでに久しく、その中でたった一人、ご存じ柴又の寅さんだけが気を吐いていた。相前後して登場したマック・ボランと車寅次郎は性格こそかけ離れているものの、愚直なまでに決まった型を繰り返して長寿を保ったシリーズ・キャラクターであるという一点においてはいずれも兄たり難く、弟たり難い。寅さんはいつも夢を見る。夢の中の寅さんは、強きを挫き弱きを助け、心優しく、腕が立つ絵に描いたような英雄である。寅さんが夢でいつマック・ボランになっても不思議はない。寅次郎が日本の庶民大衆の現実を生きる戯画ならば、ボランもまたその夢の中に生き続ける。眉一つ動かすでもなく大量殺戮《さつりく》をやってのけながら、時にハードボイルドの本質たる含羞《がんしゅう》の色を覗《のぞ》かせるマック・ボランにしても、男はつらいことだろう。

ナチス・ドイツと戦争文学

記憶の本箱には第三帝国、ナチス・ドイツの黄昏《たそがれ》を扱った作品がいくつかある。第二次大戦末期、アメリカ陸軍情報部防諜隊員としてヨーロッパ戦線で反ナチス活動に携わったデンマーク人作家、イブ・メルキオーが体験に基づいて書き続けた一連の戦争文学で、いずれも角川「海外ベストセラー・シリーズ」に収録された。

戦後二十年を経たあたりから世界中でナチス・ドイツに対する新たな関心の波が起こり、記録の発掘や史実の検証が進んで、ナチス残党の末路が取り沙汰されるようになった。第三帝国による史上最大にして最悪の犯罪は、報復や告発のためではなく、冷厳な歴史的考察の対象としていよいよ比重を増した。そういう時代の趨勢《すうせい》がイブ・メルキオーに作品の構想を促したであろうことは想像に難くない。壊滅に瀕したナチス・ドイツの混迷をつぶさに知るメルキオーは、その断末魔の足掻きを背景に据えて処女長編『人狼部隊』を書き下ろした。アメリカ陸軍防諜隊が敵軍の戦闘序列情報を把握していたところから、ナチス・ドイツ起死回生の切り札となるはずだった連合軍最高司令官暗殺計画が瓦解する過程を描いたサスペンス小説である。作者は厖大《ぼうだい》な資料を駆使しつつ、事実と伝説をこき混ぜてナチズムの狂気を炙り出している。

連合軍の後方攪乱《かくらん》を目的に、ナチスの狂信青年たちを集めてゲリラ戦術を叩きこんだ組織が人狼部隊で、「憎悪こそわれらの掟、復讐《ふくしゅう》こそわれらの合い言葉」を誓ってこのテロ・グループは決起した。難攻不落のアルプス要塞「挙国角面堡」を根城として、人狼部隊は連合軍の桎梏からドイツを解放する作戦だったとされている。だが、ナチス・ドイツの全貌を語ったウィリアム・シャイラーの古典的大著『第三帝国の興亡』によれば、アルプス要塞は幻影だった。連合軍の疑心暗鬼が築いた一夜城でしかなかったということのようである。それにしても、火のないところに煙は立たない。防諜隊の入手した情報には人狼部隊の跳梁や、アイゼンハワー暗殺計画を匂わせるものがあって連合軍は浮き足立った。この虚実の交錯を逆手に取って、イブ・メルキオーは骨格の確かな一編の戦争史話を完成した。

戦火に疲弊した各地の光景を織りこみながら、人狼部隊と米軍防諜隊の動きを交互に積み重ねるフラッシュバックの手法で、うねりのある物語が流れるごとくに展開する。終盤、対立する使命を帯びた両軍の青年士官が相見える場面は、作中すでに何度も繰り返されている主旋律の具象画である。いや、それをいうなら『人狼部隊』全編がその後のメルキオー文学の主題を響かせて、ソナタにおける提示部をなしていると読むのが正しかろう。米兵の銃弾を受けて命脈つきかけた人狼戦士の胸に去来する懐疑は、とりもなおさず、そこまで相手を追いつめた防諜隊員の行動すべての意味を左右する疑問である。戦争に対するいっさいの怒り、悲しみ、憎悪を突きぬけた果てに底知れぬ虚無が広がっている。懐疑に答を出して虚無の淵にのめりこむことから身を守ろうとする二人の背中には、第三帝国も連合軍もない、戦争そのものの重みがのしかかっている。

これに続けてメルキオーは同じく第三帝国の終焉を題材に、ますます重厚な作品を発表した。その一つ、『スリーパー・エージェント』は瀕死のナチス・ドイツが将来の帝国復活を企んで、高度に訓練した秘密工作員を敵国に送りこもうという謀略の秘話である。工作員は潜入した国に同化する。家庭を持ち、仕事に就いて、故国からの指令を待つ。潜伏期間は数年から、場合によっては十数年の長きにおよぶこともある。すなわち、スリーパー・エージェント、睡眠工作員の名の由来である。時いたれば、いかなる犠牲をも顧みず、課された任務を遂行する。この作品もまた、アメリカ陸軍の防諜隊員が片々たる情報からそのような工作員の存在を嗅ぎつけて、辛苦の末にナチスの計画を阻止する経緯を描いているのだが、巻中、ワーグナー音楽祭発祥の地バイロイトに進駐した防諜員が祝祭劇場の無事を知って、熱烈なワーグナー崇拝者だった父親を懐かしく思い出すところは味わいが深い。

ご案内の向きもあろう。作者イブ・メルキオーの父、ラウリッツ・メルキオーはワーグナー歌いで鳴らした二十世紀オペラ界屈指の声楽家である。第二次大戦前夜からニューヨークのメトロポリタン歌劇場に立てこもって一九五〇年代まで数々のタイトルロールを歌い、ミュージカル映画にも出演して人気を誇った。ワグネリアンテナー、もしくはヘルデンテナーと称される華麗な音色と圧倒的な声量は持ち前で、重鎮というにふさわしく、ワーグナーの楽劇に新しい解釈を持ち込んだこともよく知られている。七三年にカリフォルニアのサンタモニカで没したが、イブ・メルキオーの文業に父の伝記『ラウリッツ・メルキオー――バイロイトの黄金時代』がある。その著者が小説作品の中で父への敬愛と思慕をさりげなく語っているのが先に触れた祝祭劇場のくだりで、読めばいささかの感慨なきを得ない。

因みに、メルキオーの名はキリスト降誕の折に東方から祝福に訪れた三博士の一人に由来している。贈りものに黄金を差し出すのが若いメルキオーで、壮年のバルタザールは乳香、老人のキャスパーは没薬を捧げる。ただ、新約聖書に三人の名前はない。出どころは後代の民間伝承のようである。それはともかく、往年の名歌手はロリッツ・メルキオールの表記が定着しているのかもしれないが、デンマーク人であることを考えるとラウリッツ・メルキオーが本当だろう。

もう一作、イブ・メルキオーで忘れ難いのが『ハイガーロッホ破壊指令』である。〈マンハッタン計画〉の名で知られるアメリカの原爆開発と同じ目的で第三帝国が進めていた計画を中心に、ナチスの体制に組みこまれた科学者の苦悩や、ドイツ国内における抵抗運動の一端、荒廃の中に呻吟《しんぎん》する市井《しせい》の人々などを、いうなれば奥行きの深い広角レンズで捉えたような長編で、いつもながらの緻密な構成が心憎い。

ベルリンのカイザー・ヴィルヘルム研究所でオットー・ハーンが核分裂を発見して物理学は原子力時代を迎えた。一九三八年のことである。一部の科学者たちはつとに核兵器開発の可能性を懸念していたが、さらに憂慮が募って翌三九年、アインシュタインは合衆国大統領フランクリン・D・ローズヴェルトに書簡を送り、ナチス・ドイツが核兵器を持つことの危険を訴えた。この警告を承けて、アメリカはヒトラーに対する抑止力の意味で原爆装備を決意し、ここにマンハッタン計画は発足した。ヒトラーに追われた亡命科学者の多くが計画の中枢を担ったから、日本にとって第三帝国はとんだプロメテウスだったというしかない。現にパンドラの匣《はこ》は開けられたではないか。

ドイツの科学技術は世界一という神話がアメリカをマンハッタン計画に駆りたてたことは疑いないが、実のところ、神話は張り子の虎だった。メルキオーも作中で語っているように、なるほどハイガーロッホには原子炉があって、これは連合軍の手で解体された。とはいえ、当時のドイツはどうすれば炉内で連鎖反応が起きるかをまだ知らず、ハイガーロッホの原子炉が臨界に達したことはなかったのである。アメリカは科学諜報機関を設置してドイツの原子物理学がどこまで進んでいるか探ったのにくらべて、第三帝国はその努力を怠った。ドイツの科学技術をもってしても不可能なことがどうして敵国にできようかという思い上がりだった。神話が当のドイツをも眩惑《げんわく》した結果である。この思い上がりはヒトラーに媚びへつらう御用学者たちが〈アーリア人の科学〉といういかがわしいお題目を唱えて幅をきかせたことでいっそう始末におえなくなった。アメリカに先を越されたと知って開き直る態度はなまなかではない。「ドイツは原子力の平和利用を目指したが、アメリカはそれを兵器に使った」。顧みて他をいうとはこれだろう。亡命による人材不足に加えて、ナチスの政治的干渉が科学の衰退を招いたというのが第三帝国末期の内実である。

当然ながら、それは科学分野に限らず、社会全体におよぶ悲劇だった。ヒトラーの弾圧が熾烈《しれつ》を極めて抵抗は大衆運動にまで発展しなかったが、その実、何千というドイツ市民が、あるいは個々に、あるいは集団を組んで反体制の行動を起こした。ミュンヘン大学の学生、ショル兄妹の「白バラ」は広く知られたその一例だろう。知識階級だけではなく、あらゆる階層の間に抵抗の意思が働いていたことはメルキオーのこの作品からも窺《うかが》われる。巻末にちらりと顔を出すシンドラーは『シンドラーのリスト』の実業家とは縁もゆかりもない別人ながら、この名を見て読者はアウシュヴィッツに想像を馳《は》せることになる。さりとは作者の計算か。それはさておき、イブ・メルキオーは時代の生き証人を任じてナチス・ドイツの凋落《ちょうらく》を語った。作品はいずれも周到にして豪放、犀利《さいり》にして雄渾《ゆうこん》である。『巨大アメーバの惑星』『タイム・トラベラーズ』など、SF映画作家の肩書きも持つメルキオーの底光りする史話文学がこの先も読み継がれることを願ってやまない。

アードマンの予言

　ここ四十年足らずの間に、世界は二度の石油危機《オイルショック》を体験した。見方によっては三度かもしれない。七三年の中東戦争に際してOPEC、石油輸出国機構は原油価格の引き上げとイスラエル支援国向けの禁輸を申し合わせた。これが第一次オイルショックで、資源小国の日本はもろに影響をこうむった。原油の需給が逼迫して物流に停滞を来したことに加えて、報道がここぞと危機感を煽《あお》ったためもあり、庶民大衆が日用品の買い占めに走る騒動が持ち上がったのである。あらゆる商品が小売りの店頭からみるみる姿を消して物価が上昇したが、とりわけトイレットペーパーと洗剤の不足は深刻だった。群集心理が多分に騒ぎを大きくしたのも事実だったろう。紙不足が印刷用紙にまで波及して物書きは辛い目に遭った。出版社に原稿を渡しても、紙がないという理由で本が出ない。文筆商売は上がったりである。これは石油危機を千載一遇の好機とほくそえんで在庫を抱えこみ、紙価の高騰を企んだ業者の悪徳商法だったことが後に露見したが、それだけになおさらで、思い出してもあの時は苦しかった。次は七九年、イランに革命が起きて同国の石油生産が中断し、OPECがまたしても原油価格を吊り上げて第二次オイルショックを招来した。さらには二〇〇八年に原油価格が大幅に上がって、これを第三次オイルショックとする見方もある。その都度、産油国は巨額の利益を得て発言力も増した。世界は石油の薄膜の上にかろうじて浮かんでいるありさまで、OPECが生殺与奪の権を握っていることを消費国は思い知らされた。

イラン革命に先立つこと三年の一九七六年に、カナダ出身の国際的エコノミストで作家を兼ねるポール・アードマンが当時の中東情勢を見すえて近未来小説『1979年の大破局』を発表した。ごま書房が赤い表紙のゴマノベルスを創刊して、その第一弾を日米同時刊行で飾ろうと目論んだ作品である。翻訳は生原稿からで、校正の段になって著者が微に入り細を穿《うが》って推敲《すいこう》を加えたため、訳文の手直しは時計と睨《にら》めっこだったが、何とか同時刊行に漕《こ》ぎつけた。イランの国王《シャー》パーレビや、サウジアラビアの王族、同国のヤマニ石油相といった実在の人物、それも毎日のようにマスコミに登場する国際舞台の立役者たちを自在に操って奔放にふるまわせたこの小説は、大胆な奇想の作と取られかねなかったが、その実、これはアードマンの慧眼《けいがん》に映じたあるままの世界だった。

果たせるかな、中東情勢はその後、あたかもこの小説の筋をたどるかのように推移した。オイルマネーでふくれ上がった中東産油国は覇を競い、軍拡路線を突き進んだ。アードマンがこれを書いた七六年のＯＰＥＣ総会は原油価格の値上げが喫緊の議案だった。穏健派で知られるサウジアラビアのヤマニ石油相がイランのシャー以下いならぶ強硬派を抑えて値上げは小幅に止まり、アメリカとアメリカを市場とする国々、すなわち大半の世界はここでいったんヤマニ裁定に救われたが、アードマンはいちはやく警告を発した。

ＯＰＥＣは今後も石油価格を引き上げるに違いなく、くやしいことに石油消費国は産油国にじわじわと首を絞められて、二進も三進もいかなくなる。停滞、ないしは縮小する世界の貿易市場、国際金融体制を崩壊に導く債務の累積、不安定な石油価格の先行きを考えると楽観論者ではいられない……。

輸出国機構の盟主サウジアラビアと、一方の頭目イランの対立もアードマンが作品に描いたとおりだった。アメリカは石油の大市場だから、アラブ諸国でも産油量で群を抜くサウジが親米の立場を取ることに不思議はない。ペルシャ湾を隔てて向き合うイランはそのサウジに軍事力で差をつけようとなりふり構わずで、原子力発電所建設にアメリカの技術協力を求めながら、それが核兵器開発への布石であることを隠そうともしていない。アーリア人の誇りを懐《いだ》くパーレビ国王は、何としても非アラブの旗印で湾岸に覇を唱えたかった。この国王の民族主義と、イスラム文化で育った民衆の意識が食い違うのは時間の問題だったろう。パーレビはイランの近代化を急いだが、オイルダラーが民衆の福祉を増進させなかったところから、一九七八年に入って反パーレビの動きは堰を切った。デモとストライキが続き、弾圧が繰り返された挙げ句の一九七九年、ついにパーレビは国外退去に追いこまれて、事実上、イラン王制は葬られた。反王制の指導者ホメイニ師が亡命先のパリから帰国して革命は成就する。

アードマンはこの小説で、革命の火に油を注いだパーレビの専横をあくどいほどに描いている。お雇い物理学者の手になる核爆弾を愛しげに抱く国王の姿は、チャップリンの独裁者が地球を模した風船玉と遊び戯れる凄絶なシーンを彷彿《ほうふつ》させる。ユダヤ人を憎み、星占いに縁起を担ぎ、地下壕に立てこもって戦闘を指揮するパーレビ国王は、今や歴史上で最も忌み嫌われた男と名にし負う先輩アーリア人に瓜二つである。アードマンはあるところで自作について語っている。

本に書いた予言が的中したが、嬉《うれ》しいとは思わない。大破局など起きてもらっては困る。子供にお伽噺《とぎばなし》をしたようなつもりでいただけに、それが本当のことになって、かえって心配が増した。大破局は起こらないとは思うが、われわれの繁栄は徐々に失われ、古き佳き時代が終わりつつあることはたしかなようである。

イラン革命の一九七九年に東京サミットが開催され、新聞各紙は石油輸入抑制を誓い合う先進国首脳の面々と、原油の大幅値上げを決めたＯＰＥＣ総会の写真を並べて掲載した。アードマンのいうとおり、石油消費国が産油国にじわじわと首を絞められている構図である。だが、二十一世紀に入って脱石油の意識が高まると、ＯＰＥＣも原油価格の決定権をふりかざしてばかりはいられなくなった。かつて、石油は有限資源であるゆえに遅かれ早かれ枯渇するという「ピーク・オイル論」がもてはやされた時期がある。まるで明日にも地球から石油がなくなると断言しかねまじき論調だった。それだけにＯＰＥＣは強気の構えを崩さなかったが、第二次オイルショックの最中にニューヨーク工科大学の馬野周二氏がその著『石油危機の幻影』で喝破したように、原油の枯渇は政治的に作られた終末論というにすぎない。新しい技術を使えば石油はまだいくらでも採掘できる。ただ、脱石油の掛け声がその技術を代替エネルギーの開発に向かわせるとなると、産油国の威勢に翳《かげ》りが生じるのは必然の道理だろう。先端技術が時代を変える。これははるか昔にナイジェル・コールダーが『技術は突破する』で述べたことである。石油が枯渇するよりも、技術の進歩が代替エネルギーを実現して石油の需要が跡絶《とだ》える方が先に違いない。それこそ遠い未来の話だろうけれどもだ。

名実ともにＯＰＥＣの顔だったヤマニ氏は八六年にサウジ石油相を辞してロンドンに拠を移し、〈世界エネルギー研究所〉を主宰して今や斯界《しかい》の論客だが、この先の問題を見越して日経新聞紙上で語っている。

「産油国の影が薄れることは間違いない。多くの産油国は原油が国家収入のほとんどだ。その収入源がなくなったときの準備を進めているとは思えず、不用意が混乱を招く虞《おそれ》なしとしない」イスラエルとパレスチナの対立など、ほかにも火種を抱えた中東の安定は世界が挙げて取り組むべき課題であるとした上でヤマニ氏はいう。「イランは油断できない。イラン人はずばぬけて頭がよく、とりわけ政治の駆け引きとなると天才的だ。水素エネルギーの時代が到来しても天然ガスの需要は絶えず、保有量でロシアに次ぐイランは交渉材料を持っているのみか、その使い方も抜かりなく心得ている。アメリカを相手に主導権を握っているのはイランかもしれない」アメリカが核開発を進めるイランに制裁をちらつかせながら、もう一つ煮えきらないのもなるほどとうなずかざるを得ない。

ポール・アードマンはすでに故人だから、次の時代をどう予測していたかは知る由もないのだが、思えば歴史の視野で今現在を読むことの意味を語り続けた作家だった。

連作推理短編

　ここはちょっと気分を変えて、推理短編の連作でお馴染《なじ》みのアイザック・アシモフに登場を願うとしよう。『黒後家蜘蛛《くろごけぐも》の会』といってすぐ、ああ、あれか、と思い出していただけるようならあらためて話すほどのこともないけれど、このシリーズも記憶の本箱に場所を占めているからには、どうしたって素通りはできない。『黒後家』の初出は一九七二年で、ミステリ雑誌〈EQMM〉に載った。アシモフは一作こっきりのつもりだったが、編集長のエラリー・クイーンこと、フレドリック・ダネイのすすめで連作を書きつぐことになり、十二編をまとめた単行本の日本語版第一巻が創元文庫で出たのはアードマンを訳したと同じ七六年の暮れも押しつまった頃だった。以後、一九九二年にアシモフが没するまで、もう一つのシリーズ『ユニオン・クラブ綺談』と合わせて百に余る短編を手がけ、アンソロジーの仕事もしたから付き合いは長い。

SF界の大御所といわれて久しいアシモフも、五十路を過ぎて本格正統の推理短編を世に問うに当たっては、何かと思うところがあった。それまでにも推理小説は書いている。今風にいえばSFとミステリのハイブリッドで、成功したには違いないのだが、作者自身の評価では、いかんせん、SF臭が強すぎた。同じ書くなら純然たるミステリにしたい。その間の事情をアシモフは語っている。

……次第に科学とは無縁のミステリを書きたい気持が募った。それでいながらつい二の足を踏んだのは、この四半世紀の間にミステリは大きく変わったのに、私自身の好みは少しも変わっていないためだった。最近のミステリは酒に浸した上にたっぷりと麻薬を注ぎこみ、セックスで味つけをしてサディズムで焼き上げてある。これに比して、私の理想とするところはエルキュール・ポワロとあの小さな灰色の脳細胞なのだ。

そこへ〈EQMM〉から注文があって、アシモフは思案した。多少ともひねりのきいた作品となると、何がさて、二番煎じは禁物だ。とはいえ、アガサ・クリスティがすでに考えられる限りのトリックを使っているから、目新しい話の種がおいそれと見つかるものではない。おまけに、ミステリには犯すべからざる原則がある。作者は謎を提示して推理を展開する過程で材料を残らず並べて手の内を明かし、ここからは絵解きという段で明敏な読者なら話の仕掛けを察する書き方をしなくてはならない。その上でなおかつ意表の結末と来れば文句なしで、ひねりとはこれをいうのである。

ふとしたことから知恵が浮かんで、アシモフは作品の組み立てに工夫を凝らした。そこで生まれたのが年輩の男ばかりの集まり「黒後家蜘蛛の会」で、これがそのままシリーズの通題になっている。月に一度の会食だけを枠組みに、特許弁護士、作家、画家、数学教師、生化学者、情報機関の暗号専門家という顔ぶれを揃えた設定が功を奏して、無尽蔵に近いアシモフの発想はところを得た。月番の主人役はゲストを招く特権を許されている、というより、きっと誰か連れてくる決まりで、ほかに女人禁制を除いては会則と名のつく何もない。そのゲストの談話が誰の場合も常に謎を孕《はら》んでいることにはじまって、黒後家蜘蛛の面々が口角泡を飛ばして推理を競う。議論も出つくして謎は解明されたと思いきや、見こんだ筋はどれもはずれで、不可思議はもとのままである。と、それまで脇に控えていた老給仕が水も漏らさぬ推論の果てにことの真相を言い当てる。いわゆる安楽椅子探偵の本道で、シリーズ全作品がこの形式で書かれている。ついでながら、アシモフ自身の言葉を引いておこう。

この『黒後家』ものが当今流行のミステリとはおよそ傾向を異にするいささか

古めかしい読み物であることは否めない。事実、この連作は十九世紀のスタイルを踏襲している。恵まれた階層の男たちをテーブルに集め、ゆったりと贅沢《ぜいたく》な食事をさせながら、議論によって謎解きをさせる、という構成はヴィクトリア朝文芸の申し子にほかならない。してみれば、ここには暴力やセックスの描写がないのもうべなるかなである。それどころか、犯罪といえるほどの犯罪すら起きないことも稀《まれ》ではない。

毎回、議論百出の末に正解を示して一座の喝采を浴びる老給仕ヘンリーは名探偵の代名詞、コナン・ドイルのシャーロック・ホームズや、G・K・チェスタトンの生んだ逆説の知者、ブラウン神父と並んで、今では推理小説史上、最も個性的な人物のうちに数えられている。知識階級でも上の部に属する黒後家同人たちを唸《うな》らせる教養と洞察は、半可な学者気取りには求むべくもない。テーブルを囲む顔ぶれもまた独善家、癇癖性、衒学《げんがく》趣味……と、それぞれに一癖も二癖もあるうるさ型で、その面々が互いに譲らず、頑強に自説を主張するのだから、謎を解くはずの論議は船頭多くして船山へ登ることになる。広く知られているとおり、アシモフは作家であると同時にコロンビア大学で博士号を取った生化学者で、ほかに歴史、聖書学、シェイクスピア文学、言語学、科学評論など、異種の分野にまたがる学際的な著作があっていずれも高い評価を得ている複眼の持ち主である。それかあらぬか、黒後家蜘蛛の会員は各人各様ながら、みなどこやらに作者の面影を宿している。登場人物が作者の血を受けているというだけなら珍しくもなかろうが、孫悟空が自分の体から一本の毛をむしり取って息を吹きかけると替え玉の悟空がぞろぞろ現れるのと同じ、分身の術を使ってアシモフは黒後家蜘蛛の会を演出していると見た方がいい。

ヘンリーはいつも、面々の議論で問題が整理されるから、自分はそこに浮かんだ答を指摘するにすぎない、と謙譲の美徳を発揮して黒後家一同に花を持たせるのだが、話が行きづまったところへやおら進み出て解決をつける物腰は、救いの神、デウス・エクス・マキーナの威光と、王さまは裸だと叫ぶ少年の無心を兼ねている。推理小説に一家言ある故・大岡昇平氏はこのヘンリーがご贔屓《ひいき》だった。「へんな学者よりボーイが一番明敏であるのは、西欧には古くある話の型で、多分サンチョ・パンサ以来、主に南欧で発達した。日本にはまだ輸入されていないようだが、実際にそういう人物がいるかいないかの問題ではなく、お話として常に爽快な感じを与える」これを聞かせたら、アシモフも莞爾《かんじ》とすることだろう。色白の顔に皺《しわ》一つなく、サンチョ・パンサの狡知《こうち》と裸の王様の少年を思わせる無垢《むく》な目を併せ持った慎み深い老人といえば、生身ではちょっと想像しにくい人物だが、アシモフはことあるごとに、ヘンリーに限ってはあくまでも作者の造形であると力をこめて語っている。ただ、銀行家にしてユーモア短編の名手だった十九世紀のイギリス人作家、P・G・ウッドハウスの創出にかかる執事ジーヴズの影響を指摘する声がままあって、さしもの自信家アシモフも、ウッドハウスを崇敬してやまないところから、いくらかはそれを認める態度である。

　もう一つ、これもアシモフが自ら述べていることで、『黒後家』連作はミステリ仕立てとはいえ、謎を提示して推理を展開し、絵解きをつけるだけならば、各編とも四分の一の長さでことたりる。あとの四分の三は食卓を囲んだ一同の饒舌《じょうぜつ》で、喧噪を極める雑言の投げ合いこそが作品の命だといって過言はない。理不尽ではない謎を案じ、知的な会話を組み立てることに優る喜びはないとアシモフはいう。してみれば、あの仰々しいまでに声高な論議さえもが彫琢《ちょうたく》の産物と知れる。さらによく見ると、ここには情景描写に類する文章がほとんどない。地の文はわずかにゲストの風貌とメンバー各人の習癖、それに、当夜の料理に触れるだけで、あらかたは話し言葉で場面が進展する。経過の説明もおおむね会話に任されている。余分な叙述を避けたのは臨場感を盛りあげる狙いであろう。気がつけば、読者もいつかそこに同席している仕掛けである。この話術によって、アシモフは落語の笑いに通じる効果を実現した。

　ウッドハウスの名が出たところで話は『ユニオン・クラブ綺談』のことになる。アシモフにとってはいわく因縁のあるショートショート連作で、まずは成立事情をざっと紹介しておくが、先刻ご存じの読者諸賢も、ここは一つ、復習のつもりでお付き合い願いたい。『黒後家蜘蛛の会』が進行中のある時、アシモフは雑誌〈ギャラリー〉から ミステリ執筆の依頼を受けた。同誌は生まれたままの女体のグラビアが売り物である。アシモフは迷ったが、本格ミステリで一作の長さは『黒後家』の半分弱という注文に食指が動いた。筆の速いアシモフがその気になれば、ほんの片手間仕事だろう。それはいいとして、問題は話の種である。さて、何を書いたものか、思案のしどころだった。例えば、純水や蒸留水といった夾雑物《きょうざつぶつ》を含まない水は味も素っ気もなくて飲用には適さない。香水も名だたる高級品となると、微量ながら思いも寄らない不純物が添加されているという。料理の旨いまずいは隠し味で決まる。ことほど左様に、何でもひたすら純粋がいいとは限らないのだが、だといって、混じり気がありすぎてもいけず、その兼ね合いが微妙でむずかしい。文学も事情は同じで、特に笑いの文学は、ひねり、穿《うが》ち、誇張など、読み手の意表を衝《つ》く技巧が作品の出来を左右する。読者がそこに期待するのはある種のえぐみ、苦みであってみれば、毒こそは笑いの隠し味である。

それをいうなら、壺を押さえた作品にウッドハウスの『マリナー氏の冒険譚』がある。釣り宿のバーで、毎度、どこの誰とも知れぬマリナー氏が常連の閑談に割りこんで話を横取りし、自分の見聞を物語る設定の人を食ったシリーズだが、マリナー氏の話術によってそこに居あわせる人物たちが不思議な変貌を遂げ、希代な行動を取りはじめる筋立てが全編に漂う笑いの底流をなしている。ウッドハウスの短編集に序文を寄せ、アンソロジーを編んだこともあるアシモフがマリナー氏を意識しなかったはずはない。『ユニオン・クラブ』は体裁こそ掌編ながら歴としたミステリで、謎解きの骨法を踏まえた起承転結が求められている。この点、アシモフは『黒後家』で自身が編み出した手法をそのまま活かせばよかった。世間一般の水準からすればかなり程度の高い知識人仲間の雑談から推理が展開される趣向も、ついに答が出ずに、結局は仙人じみた安楽椅子の知恵者が絵解きを与える話の運びも二つのシリーズに共通するところである。しかし、だといって何から何まで同じではあまりにも芸がない。そこで一計を案じた作者はウッドハウスのマリナー氏を思いきり灰汁《あく》の強い驕慢居士《きょうまんこじ》に書き替えてグリズウォルドという、ヘンリーとは正反対の畸人を生み出した。

あっぱれ答を当てて賞められるたびに、ヘンリーは腰を低くする。「黒後家蜘蛛のみなさまが謎をお解きなさいます。わたくしはただ落ち穂拾いをいたすだけでございます」対するに、グリズウォルドはことごとに相手を見下した口をきく。「なんだ、きみたち、わからないのか？　これは驚いた！」「この上、まだ説明が必要かね？これだから、頭の悪い人間は度し難い」

ヘンリーがどこまでも黒後家一同を立てる幇間型《ほうかんがた》の器用人なら、グリズウォルドは常連仲間を頭ごなしに小児病と決めつけて快感を覚える意地悪爺さん型の毒舌家である。大の男どもはやりこめられてぐうの音も出ない。いつかご老体に一矢報いんものと機を窺《うかが》いながらついに果たせず、地団駄を踏む姿は滑稽で、自分が傷つくことのない読者はそれを楽しみにページを繰る寸法である。

アシモフの筆力をもってすれば、掌編一作に時間を割くまでもない。月のうちに半日を費やせば充分と考えて『ユニオン・クラブ』に取りかかった。ところが、話がミステリであることは『黒後家蜘蛛』と同じで、手垢《てあか》のついた種は使えない。月々新機軸を考え出すとなるといくら時間があっても足りなかったと、これは作者自身が述懐している。そんな事情を抱えながらアシモフはたゆまず書き続けて、グリズウォルド翁の人気は上昇したが、割を食ったのはヘンリーである。知恵が閃《ひらめ》くとさっそくそれを『ユニオン・クラブ』に仕立てたから、その間、二年あまり『黒後家』は中断を余儀なくされ、ヘンリーを愛する読者からアシモフのところへ抗議の手紙や老給仕の安否を気遣う見舞い状が殺到したという。同様に、わが創元文庫も『黒後家蜘蛛の会』第三集の後しばらくの空白が生じて、第四集を待望する声が編集部や訳者に寄せられたのだった。が、それはともかく、幸いなことに老給仕ヘンリーも、グリズウォルド翁も、今もって健在である。

五行戯詩　リメリック

アシモフの短編で見逃せないのは随所に挿入されているリメリックで、これについては作中に説明がある。

「リメリックというのは詩形の一種だが、同時にアイルランドの都市の名でもある。マンスターはシャノン川の河口にある大きな港町だ。詳しい経緯はわからないが、リメリックは昔この町で盛んに流行して、それで町の名がそのまま詩形を意味するようになったのだよ」

念のために補足しておくと、アイルランドの港町は「リムリック」の表記が普通で、綴《つづ》りは同じだが、この地名と区別するために詩形は「リメリック」といっている。五行戯詩とも呼ばれるとおり、リメリックは全体が五行から成る戯《ざ》れ歌《うた》で、第一、第二、第五の長句と、第三、第四の短句がそれぞれ脚韻を踏む形式上の約束がある。社交の席の遊びに一人一人が順に即興で披露したそうだから、江戸の町人たちが「都々《どど》逸《いつ》はご順」あるいは「都々逸のまわしっこ」といって歌い興じたのと極めてよく似ている。
アシモフの『黒後家』では中の一人がこれに凝って、ホメロスの叙事詩『イーリアス』と『オデュッセイア』全四十八章を各一編のリメリックにまとめようと思い立つ。席上、自信作を発表するのだが、たちまち評価が割れてひとしきり議論が沸くのは毎度のことで、本筋の謎解きとはほとんどかかわりのないこの戯れが一作の彩りになっている。試みに冒頭の一章がどんなリメリックになっているか覗《のぞ》いてみよう。

並びなきギリシアの総帥アガメムノン
アキレスめとて向《む》か腹《ばら》の強談判《こわだんぱん》
　丁々発止の口諍《くちあらそ》い
　アキレス怒髪天つく勢い
座を蹴って陣屋の内へ疾《と》く退散

Agamemnon, the top-ranking Greek,
To Achilles in anger did speak.

They argued a lot,
Then Achilles grew hot,
And went stamping away in a pique.

パリスの審判に端を発したトロイ戦争は膠着十年におよび、連合艦隊司令官アガメムノンと勇将アキレスの不和がもとでギリシア軍が劣勢に傾く序幕の一章である。総大将の威厳を笠に着たアガメムノンの仕打ちにアキレスは激高し、戦列離脱を宣言して陣屋に立てこもる。ここにいうアキレスの怒りは『イーリアス』全編の主題なのである。アシモフは自身、大のリメリック愛好家で、作品を集めた本も出している。この機会に『アシモフの毒物誌』と題して〈ＥＱＭＭ〉に連載した中から何編かお目にかけようと思う。

砒素《ひそ》

毒薬の王よと砒素は昔より
いつしかにひっそりひそと命取り
されど効き目はすぐならず

下手人枕高からず
色に出て罪の証《あかし》や深緑

The classic's a compound arsenial
For murder and that are congenial.
Yet it's hard on your smile
For it takes quite a while
And the crime, if you're caught, isn't venial.

青酸カリ

してやりぬ富豪の叔父に青酸カリ
せしめたる遺産湯水と惚けたり
さても悪事は身にとこそ
笑う遑《いとま》もあらばこそ
取るものも取りあえずして逐電《ちくでん》せり

If you’ve slipped your rich uncle some cyanide
You might live on his testament, high and wide.
　But if they get after you,
　You’ll have no time for laughter, you
Must quickly get ready to try and hide.

ベラドンナ

毒ナスビ　ヒヨドリジョウゴ　ベラドンナ
鞘当《さやあ》ての意趣返しとは推参《すいさん》な
　まず一献《いっこん》と間男に
　差されし時はそこそこに
下戸《げこ》なればどうかおすすめくださんな

Deadly nightshade（or else belladonna）
Might be used to avenge one’s lost honor,
　So if offered a drink

By a cuckold, I think
You should carefully say, "I don't wanna."

〈EQ〉皆勤

という次第で、アシモフ作品には長く親しんだ。その後半は光文社〈EQ〉の常連翻訳者だった時期と重なっている。光文社が〈EQMM〉日本版の特約を早川書房から継承して一九七八年に発刊したこの雑誌は隔月刊で一三〇号まで二十年あまり続いたが、三号目のダン・J・マーロウから加わって、企画の都合で声がかからなかった何号かを別とすれば、依頼を断ったことはただの一度もないから事実上は皆勤である。訳した作家もかなりの数に上る。ダン・J・マーロウは政治家、実業家を経て後にこの道に入った遅咲きの書き手で、燻《いぶ》し銀《ぎん》というにふさわしい、地味ながら端整な作風は皮相の訳を許さなかった。短編の名手といえば誰もが筆頭に挙げるであろう双璧、スタンリー・エリンとデイヴィッド・イーリイも何度か〈EQ〉で受け持ったし、ウィリアム・アイリッシュがコーネル・ウールリッチ名義で残した作品は今もある種の郷愁を誘う。スティーヴン・セイラーは古代ローマに舞台を設定して、女奴隷に探偵役をふるという大胆な発想で気品の高い作品を書いた。短編連作のほかに同じ人物が登場する長編もある。ひたすら古代史に材を取って力量を見せる作家だから、もっと広く読まれてもよかろうにとかねがね思っている。警察官上がりのオランダ人作家、ヤンウィレム・ヴァン・デ・ウェテリンクについてはまた先へ行って触れるはずだが、〈ＥＱ〉で馴染《なじ》んだ中でもとりわけ縁の深い一人である。

話をアシモフに戻すと『黒後家』ものは雑誌に発表したほかに、没を食った作品と書き下ろしを合わせて十二編ごとに単行本で出す習慣で、その都度、各編に作者がほどこす自注は単なる付け足しではない軽妙な読み物になっている。発想のきっかけや、編集者のつけた題名が気に入らずに自分好みに直したこだわり、またはその反対に脱帽した例など、中身はいろいろだけれども、時にアシモフが素顔を覗《のぞ》かせることもあって、読者はスクリーンにヒッチコックの姿を見つけ出すに似た楽しみを味わえる。

アシモフはおりあるごとに、目の黒いうちは『黒後家蜘蛛の会』を書くといい、生きてこの世にある限りは連作を続けると約束した。自信の表明でもあったろうが、それ以上に、好きで書いていた証拠である。『ユニオン・クラブ』についても同じだった。両シリーズを合わせて百十編の作品にかかわったのは身の果報で、その半数近くは〈ＥＱ〉の仕事だったことをふりかえると忝ない。おかげで訳者もどうにか、アシモフ道場の玄関番くらいは勤まったように思う。

笑いの巧者

「棹《さお》は三年櫓《ろ》は三月《みつき》」という。棹一本で船を操るのはちょっとやそっとでは真似のできない芸当で、こつを呑みこむのに三年を要するが、櫓を漕《こ》ぐならば三月でさまになると、何にでもある年季の違いを船に譬《たと》えたことわざである。これとそっくりの表現に「笑い三年泣き三月」があって、直木賞作家、木内昇氏の小説の題にもなっている。もともとは義太夫節《ぎだゆうぶし》の稽古で、笑う仕方が泣く仕方よりはるかにむずかしいことをいった。人前で泣いてみせるお涙ちょうだいの演技は、多少の心得があってそれなりに気持をこめれば聞き手はうなずくが、笑いを演じて共感を誘うとなると生易しい話ではない。ことほど左様に、とかく笑いはむずかしい。いわんや小説においてをやだ。そこへいくと、オランダ人作家、ヤンウィレム・ヴァン・デ・ウェテリンクは稀《まれ》に見る笑いの巧者である。くすぐりや場当たりは少しもなく、陰影に富む文章と洒脱な会話を縫うユーモアは絶妙というに価する。

ロッテルダムの裕福な商家に生まれ育ったヴァン・デ・ウェテリンクは家業の手伝いにはじまって、さまざまな仕事を転々としながら広く世界を遍歴したが、而立《じりつ》前の二年間は京都の禅寺で修行した。大徳寺というから、一休禅師ゆかりの寺である。さらに南米、オーストラリアと流れ流れて後、オランダに戻ったところで長年の放浪を徴兵忌避に問われ、刑を免れる方便にアムステルダム市警察に職を奉じた。警察官暮らし七年の体験をもとに書き上げた小説を引っ提げて文芸界に登場したヴァン・デ・ウェテリンクはすでに齢《よわい》四十五を迎えていた。それ以前にも作品があって流浪の歳月ずっと持ち歩いていたのだが、ある時、航行中の船尾から一枚々々海へ捨てた。月明かりの海面に原稿用紙がゆらゆらと水平線まで白く連なる光景は夢のように美しかったと、作者は追憶を語っている。

禅を論じた著作もあるが、何といってもヴァン・デ・ウェテリンクの名を高からしめているのはアムステルダム警察シリーズである。所帯やつれした中年の警部補フライプストラと独身の二枚目で愛猫家の巡査部長デ・ヒールというコンビ、いや、正確にはこれに二人の上役で、精神的な指導者である老警視を加えたトリオの卓抜な人物造形と、アムステルダムの空気がじかに伝わってくるような生世話《きぜわ》の語り口は、おそらく時代を超越して評価されることと思う。ウェテリンクは作品の多くをオランダ語で書き、それを翻訳ではない自身の英語で書き直している。はじめから英語のこともある。オランダ語から書き替えるに際しては思いのままに手を加えるから、時として、題名は同じでも趣向の違う作品ができあがる。あるところで、作中人物の一人は堪能な英語を賞められていう。「当たり前だ。今時、オランダ語なんぞ話してるのはオランダ人だけだ」多言語主義もここまでにならないと本物とはいえない。

従来、推理小説はイギリスが本家で、西欧近代の合理思考に根ざした文学とされていた。ところが、二十世紀の中頃から合理一点張りの考え方に疑念が兆し、論理体系たる科学の世界までが老荘思想やヒンドゥ教などに傾斜するようになった。これについては理論物理学者、フリッチョフ・カプラの『タオ自然学』や、政治哲学者、ジョン・グレイの『わらの犬』に詳しい論究があるのだが、早い話、合理主義を突きつめた先に理屈では割りきれないものがあることを現代人は知りはじめたということだろうか。そうなると、推理小説も古い殼に閉じこもってはいられない。ウェテリンク作品の際立った特徴は警察官に生身の人間の体臭を感じさせる型破りの新しさである。サンフランシスコ市警察の鬼警部アイアンサイドは口を開けば、世に存在する悪を許すことができないと声を大にし、その名のとおり、鉄の甲冑を鎧った法の権化だが、ウェテリンクの刑事たちはあのように硬直した正義感に凝り固まってはいない。世間的な常識に縛られることもない。作者にいわせれば、常識とは人が十八歳までに蓄積した偏見の総体である。常識の外に身を置く登場人物はみなそれぞれに既成の価値観から解放されている。刑事と犯罪者は法という垣根を隔てて渡り合う関係とは違い、浮き世の波にもてあそばれる呉越同舟の客である。
　また、これも作者の持ち味で、ウェテリンクの世界は時間の流れさえが駘蕩《たいとう》として、およそ人を急かさない。以下に作中の一景を引いておこう。事件現場に駆けつけた警部補が本署に連絡して鑑識の到着を待つくだりである。

　電話を切って、フライプストラは両手をポケットに突っこんだ。窓は開け放たれ、楡の葉越しに暮れかける藍色《あいいろ》の空が覗《のぞ》いていた。フライプストラはしばらく楡の若葉の淡い緑に目を休め、あたりのただならぬ空気も知らぬげに囀《さえず》りだした黒いツグミに見とれていた。スズメが一羽、窓枠に止まると小首を傾《かし》げて床の死体を見やった。フライプストラは窓際に寄った。ツグミとスズメは飛び去ったが、カモメたちは塵芥や浮いた魚を狙ってはくり返し運河に舞い降りていた。春の日はやがて暮れようとしている。この部屋の主は、もはや春宵の一刻を楽しむこともない……。

　殺人事件の聞きこみ捜査で、ハウスボートが繋がれた運河の畔《ほとり》を歩く巡査部長の心象風景はウェテリンク作品に特有の情趣を匂わせる。

朽ちかけた古い桟橋を水が揺れるともなく洗い、そのあたりにもアヒルの群が、ときおり心地よさそうに鳴きながら、軽い綿毛のかたまりのような姿を浮かべていた。デ・ヒールは何かの本で、アヒルは一日十二時間ないしはそれ以上をうつらうつらと夢見心地で過ごすという話を読んだことがある。何と羨《うらや》ましいことだろう。ベッドで眠る人間にくらべて、水鳥の浮き寝はさぞかし快適であろう。デ・ヒールは自分がアヒルになって、この街のあちこちの運河や船着場に夢うつつで浮かんでいるところをうっとりと想像した。……デルフト焼きの青い植木鉢にゼラニウムが咲きこぼれている。丹精の跡は船だけに止まらず、桟橋の方まで広がっていた。渡り板の両側を低いイボタの生け垣で囲った中に、こぢんまりとした石庭が造られていた。自身、熱心なバルコニー園芸家であるデ・ヒールはその眺めにいたく心を動かされた。いずれまた、ゆっくりここを訪ねてみよう……。

この巡査部長の飼い猫オリヴァーは思うさま擬人化された姿で、顔を出せばきっと一場を攫《さら》う儲け役を演じている。事件の捜査に当たっている刑事が被害者の肉親と情を通じるというのはちょっと考えにくいことで、日本の小説にそんな場面があればたちまち非難囂々《ごうごう》のはずだが、作者ウェテリンクは何と思われようとどこ吹く風である。

自分も猫を飼っている被害者の妹エスターは、巡査部長のアパートに身を寄せたら猫同士うまく行くかどうか気が揉《も》めている。

……オリヴァーが奇声を発し、エスターは飛びあがった。

「咬んだわ！　あなたの猫、わたしのことを咬んだわよ。後ろから、こっそり忍びよって咬んだのよ。痛ぁい！　ほら、この足首を見て！」

デ・ヒールは明かりを点け、浴室に駆けこんで絆創膏《ばんそうこう》を取ってきた。オリヴァーは椅子の上にうずくまってその場のありさまを眺めていた。いかにも愉快そうに、両耳をぴんと立てて目を輝かせ、尻尾をせわしなくふりたてている。エスターはオリヴァーの首筋を撫でながら額に接吻《せつぷん》した。「悪い子ね。あんた、焼いてるの？　大丈夫よ、彼を横取りしたりしないから」

オリヴァーは喉を鳴らした。

エスターは明かりを消してデ・ヒールの手を握った。

オリヴァーは溜息をついて丸くなった。

日を経てオリヴァーはすっかりエスターに懐《なつ》き、飼い主だけにしか見せなかった親愛の情を示すまでになる。時に気が弛《ゆる》むこともある。

エスターはオリヴァーを床に降ろした。それをデ・ヒールが抱え上げ、前脚を両手で摑んで襟巻きのように背に負った。オリヴァーは唸《うな》って嚙みつこうとしたが、デ・ヒールの髪の毛に鼻面をくすぐられて大きなくしゃみをした。

「仕事の話はこれが最後だよ。警察官はやたらに仕事の話をするものじゃない」

「そうね、ダーリン」エスターは髪を搔き上げた。

「そうだよ、ダーリン」デ・ヒールはおうむ返しにいって、オリヴァーの足から手を放した。オリヴァーは体をひねるのを忘れて横向きにどたりと落ちた。

「バカな猫だ」


警察小説が成功してヴァン・デ・ウェテリンクはアメリカ東部のメイン州に居を移したが、一所不住の心は変わらず、作品の舞台はアムステルダム市街から世界のあちらこちらへ広がった。警察シリーズの人物がそのまま登場する短編もあり、ほかに、禅の影響が濃い齋藤警部ものや、ヤマアラシを主人公にした子供向けの読み物もよく知られている。そもそもが矛盾に満ちた人間存在を醒めた目で見つめたヴァン・デ・ウェテリンクの作品は読むほどに跡を引く。

軽妙な話術にかけてはウェテリンクに優るとも劣らない作者にハロルド・アダムズがいる。アメリカ中北部サウスダコタ出身で、ミネソタ州の商事改善協会、ベター・ビジネス・ビューロー、および、慈善事業監視委員会、チャリティズ・レヴュウ・カウンシルの役員を長く勤めた後、一九七八年に五十代半ばで物書きに転じた変わり種である。その経歴からは思いも寄らない奔放な発想と切れのいい笑いを武器に、ハロルド・アダムズはたちまち人気作家になった。サウスダコタは西寄りのブラックヒルズを除いては起伏に乏しい平原州である。観光名所にヒッチコックの『北北西に進路を取れ』で大団円の舞台となった、あの四大統領の顔を刻んだラシュモア山がある。気候は大陸的で、夏は酷暑、冬は極寒というに止まらず、干害、霜害、砂嵐と、自然は決して人に優しくない。ハロルド・アダムズはそんな土地に生まれ育ったが、少年時代は折からの大恐慌で、世の中が荒んでいた。遠い記憶にある原風景、原体験をこき混ぜて、作者は不況に喘《あえ》ぐサウスダコタの田舎町コーデンを仮構し、稀代の主人公、カール・ウィルコックスを登場させた。

父親の経営する町にただ一軒の安ホテルでのらくらしている三十四、五の独り者で、正規の教育こそ受けていないが人生経験は豊富で世故に長け、老成した面と、教養に邪魔されない野放図な面を併せ持っている。手先が器用で、めっぽう腕が立つ。向こうっ気が強くて女に弱いといえばハードボイルドにはありふれた人物だが、偏屈な道義心や陰湿な怨念はかけらもなく、その自然体はむしろアンチヒーローの系譜といえる。家を飛び出してカウボーイ暮らしをしたこともあり、言葉の端々から察するに、どうやらなかなかの読書家らしい。女性がらみで酔った上の不始末から二度まで刑務所送りになって、地元では前科者の札付きながら、閑《ひま》を持てあましているばかりに探偵役を引き受けるまわりあわせである。事件を介して知り合った他所者の娘と交わすやりとりで、カール・ウィルコックスは言葉少なに家族を語る。

「親父とお袋は何をやるにも律儀で大真面目だ。二人から見れば、南京虫だのネズミだのは世に害をなす悪者だよ。だから退治しなくちゃあならない。姉貴は陽気な十字軍といったところで、神を讃美するばかりで敵を討とうとはしないんだ。親父にとっては、労働は罪滅ぼし。姉貴にとっては、労働はお祭り。お袋は……、自分も真っ黒になって働くけど、人をへとへとになるまでこき使うのが生き甲斐なんだな」

「あなたの当てのない生き方は、両親の厳格主義と重労働に対する反感のせいなのね」

カウボーイ時代に雇い主だった年増と、これも事件の風向きで再会する場面がある。

「普段、どんなこと考えてるの?」

「ものを考えるのは苦手でな」

「ねえ、あたし、あなたについて一つ知ってることがあるのよ。前は詩集を持って歩いてたでしょう。あなたが牧場に出ている間に、こっそり見たの。素敵だったわ。最初の一行が〝目覚めよ!〟っていうの。本を開いてまっさきにそういう言葉があるって、いいわぁ。素晴らしいと思わない?」

「悪かぁねえな」

「照れてるのね。タフガイは詩なんて読むものじゃないって思ってるんでしょう」

そんなことはない。ただ、女を相手に詩を語る気分ではなかっただけだ。

相手によってはこうして含羞《がんしゅう》を示すカールだが、喧嘩となるといっさい手加減しない。

やつはいきなり両手を突き出してつかみかかってきた。わたしはその手首を取ると同時に一歩さがって体をひねりざま、引っかつぐように腰をきかせてやつを思うさま跳ね上げた。これがきれいに決まって、手を放してやつが宙を飛んでいくところを見物したい誘惑に駆られたが、まずくすると敵はどこも打たずに着地するかもしれず、こんな大男相手に夜っぴて組み討ちは難儀だから、一本勝負でけりをつけようと、駄目押しにしっかり摑んだ手首をぐいと手繰《たぐ》ってやつを地べたに叩きつけてやった。

町の警察署長は睨《にら》みをきかせているつもりが、いつの場合も事件はカールの知恵で解決するから、口惜しいかな頭が上がらない。ちょうど、ジョン・ボールの『夜の熱気の中で』における田舎署長と都会からやってきた黒人刑事の関係である。これをノーマン・ジュイソン監督が映画化した『夜の大捜査線』では、ロッド・スタイガーがシドニー・ポワチエ相手の名演でアカデミー主演男優賞を獲得した。ハロルド・アダムズの作品に登場する署長は、あのロッド・スタイガーがだいぶ年取って、箍《たが》がゆるんだような人物になっている。図体は大きく、いつも胡散臭《うさんくさ》い顔つきで、くたびれきったように動作が鈍い。並はずれて長い腕は、両手をポケットに入れていないと指先を地べたで擦り剝くかと思うほどである。帽子を取って額の汗を拭くよりほかに、署長がポケットから手を出すことはめったにない。

好むと好まざるとにかかわらず、カール・ウィルコックスはいつしかそんな署長と手を組んで事件を追うことになるのだが、作品のどれもみな、奇想の筋書きが痛快この上ない。ハロルド・アダムズは饒舌《じょうぜつ》を嫌い、切りつめた言葉で情景が見える文章を書く。ものごとや人のありさまをさらりといってのける形容は至芸である。周辺を黒く塗り潰したレンブラントの肖像画とは異なり、ハロルド・アダムズの世界はブリューゲルの絵のように隅々まで光が当たって遠い点景人物も輪郭がくっきりしている。質の高いユーモアと、度を超す一歩手前の猥雑《わいざつ》さが同居しているところは無類だが、これは小手先の文章技巧ではなく、作者天性のものだろう。

人間、誰しも広々とまっすぐな道を行けるならこんなに楽なことはない。だが、そうは問屋が卸さない。屈折だらけの世の中は割って余りが出る常で、まずその現実を肯《うけが》うことからはじめるのがカール・ウィルコックスの、ということは、つまり作者の流儀である。主人公がおよそものに拘泥しないのもそれゆえだ。過去をふり返って、カールはいう。

十四の年に、家は運に見放されていると悟って以来、身軽な放浪の暮らしが一番だと考えるようになった。そのくせ、あちこちほっつき歩いてはまたこのコーデンに舞いもどってくるのはどういうわけか、自分でも説明がつかない。もっとも、人間、何もかも理解できるというものでもなし、その必要もない。わからないことはわからないままでいいではないか。

何と、これは先に触れたヤンウィレム・ヴァン・デ・ウェテリンクとそっくり同じ考え方である。ウェテリンクは作中、合理主義の代表選手たる女流数学者にいわせている。「曖昧なものは曖昧なままでいいのではないかしら。論理は明快を旨としますけれど、それがかえって人間の視野を狭くしてきたんじゃありません？」

このおおらかな現実肯定と、常識を脱した自前の価値観が主人公の水際立った個性を作り上げている。ハロルド・アダムズにはカール・ウィルコックス・シリーズとは別に舞台を現代に設定した作品があって、あぶれたテレビキャスターの素人探偵が暇つぶしにポケットから取り出すのがウェテリンクの新作である。小説家が作中で現役の同業をこのように扱うとすれば、それこそは親愛と称賛の証にほかならない。ウェテリンクの生前に直接の交流があったかどうかは知らず、互いに徳としていたろうことは察せられる。稀に見る卓抜なユーモアも二人に共通の資質である。ハロルド・アダムズはシリーズの一編で一九九三年にアメリカ探偵作家クラブ主催のシェイマス賞を受賞し、ほかに二作が候補に推されている。カール・ウィルコックスの人気は本物だ。ウェテリンクについても同じで、今さら何を、といわれればそれまでかもしれないが、人物造形にせよ情景描写にせよ、また時代背景を取ってみても、ハロルド・アダムズは作者を得るとはどういうことか、つくづく思わせる書き手なのである。これまでに十六編を数えるカール・ウィルコックス・シリーズだが、邦訳が創元文庫の二点に止まっているのはあまりに惜しい。

広大無辺の文学宇宙

それはそれとして、ついでのことにＳＦ——サイエンス・フィクションの話をちょっと。今でこそＳＦの何たるかは子供でも知っているが、少し前までは「空想科学小説」が通り名で、おおかたは科学技術の発達を前提に遠い未来の夢を語る無邪気な読み物だった。これを呼び替えて、一九六〇年代の日本にＳＦの表記を定着させたのは早川書房の雑誌編集長で翻訳者でもあった故・福島正実氏である。おおざっぱにいえば、『海底二万マイル』のジュール・ヴェルヌと『タイムマシン』や『宇宙戦争』のＨ・Ｇ・ウェルズが「ＳＦの父」と並び称されて、中でも一八九五年の『タイムマシン』をＳＦの嚆矢とするのが常識となっている。ただ、科学の進んだ遠未来といっても夢物語ばかりとは限らない。至福千年の救世史観とはわけが違って、先々人間の安寧逸楽はどこにも約束されていないからだ。現に元祖と仰がれるＨ・Ｇ・ウェルズの描いた八十万年後の世界は、作者のペシミズムもここに極まって、薬にしたくとも希望はない。感傷は無用の沙汰である。また、こう見わたしたところSF小説で笑いの文学と呼べる作品は、皆無ではないまでも、決して多くはないようで、これなどもSFがともすれば敬遠される理由の一つかもしれない。

時代が移れば小説の作法も概念も変わる。先端技術が自然科学を日常の次元に引き寄せたことで、概して読者のSFアレルギーは薄らいでいる。その分、以前よりも広い層の読者がSFを手に取るようになった。加えて、SFはジャンルの境界を越えてあらゆる分野に浸透する勢いである。これについては先に引いたアシモフがSFを集めたアンソロジーの序文で述べている。「サイエンス・フィクションの文学宇宙は広大無辺である」例えば、手に汗握るスポーツ小説も舞台を地球外に設定すればSFになる。馬に乗ったカウボーイが牛を追って荒野を移動する西部小説も、イルカの背にまたがって魚群を追う海底牧場に設定を変えればSFである。主人公の成長を描いて人生の意味を問う教養小説にしても、惑星間旅行が実現した世界でこれを語るならSFの範疇《はんちゅう》だ。つまるところ、SFにおける「科学」は背景、もしくは道具立てであって、作品の主題とは別である。主題がまずあって、科学領域の記述がそれを補完した時、はじめてSFは生彩を放つ。その意味で、SFは常に異種混交の相手を求めているといえる。

素材に扱う科学を正確に語らなくてはならないことに加えて、混交する他のジャンルもまたそれぞれに原則があり、禁忌があるから、その条件を二つながら満たして、かつ時代の淘汰《とうた》に耐える作品となるとなかなかお目にかかれるものではない。今は亡きジェイムズ・パトリック・ホーガンが一九七七年に発表した『星を継ぐもの』は、壮大な規模でSFとミステリの統一を果たした力業が高く評価されている。ミステリは謎の提示にはじまって、推理の展開があり、絵解きにかかるまでの間に作者はどこかでそれとなく手の内を明かしておく決まりで、土壇場で飛び道具を持ち出して読者を煙にまくことは許されない。これを知った上でホーガンはSFの大向こうを唸《うな》らせたのである。話の発端に死体が一つ転がっているのもミステリの定石だが、その死体はすでに何らかの意味を象徴する記号と化している。読者の関心は、そこにいたる事件の経過もさることながら、仮説と検証を重ねて記号の意味を解明する探偵役の推理に集中しよう。作者は記号を梃子に、発想のおよぶ限り広い画角で話を組み立てなくてはならない。『星を継ぐもの』はまさしくこのミステリの骨法を踏まえた作品で、事実、目の前に転がった一つの死体から幕が開く。それが果たして何者かをめぐる議論で全編が終始して、科学分野における当時最新の情報がふんだんに盛りこまれているところからハードSFが作品の肩書きになった。そのとおりには違いない。だが、提起される都度、仮説が崩れ去って謎が謎を呼ぶ構成は純粋に論理の遊戯であって、そこに作者の狙いはあったろう。〈EQMM〉がいちはやく書評で取り上げ、ミステりとして高点をつけたのは至極まっとうな扱いといわなくてはならない。

　ホーガンはロンドン西部の骨董品市場で知られるポートベロー・ロードで少年時代を送ったが、生まれつき足に障害があって飛んだり跳ねたりが苦手だったため、もっぱら読書に耽《ふけ》ってこれが博覧強記の下地を作った。外科手術が成功して足の不自由は除かれたものの、学校の旧弊な空気が肌に合わず、十六歳であっさり退学したという。直情径行は父親から受け継いだアイルランド人の血だと自分でいっているが、ジョナサン・スウィフトが意識にあったのではなかろうか。行く当てなしにしばらく雑多な仕事に就いてからイギリス空軍工廠《こうしょう》付属の教育機関で電子工学を修め、コンピュータ企業の研究開発部門にはじまって、後に営業に転じた。出世作『星を継ぐもの』の構想にきっかけを与えたのはスタンリー・キューブリック／アーサー・C・クラークの映画『二〇〇一年宇宙の旅』だった。ホーガンはあのSF映画の大作を認めている。ただ、結末が今一つピンと来なかった。果て知れぬ宇宙に進出した人類はおよそひ弱で取るに足りないとでもいいたげな終幕は感心できない。少し前から趣味でSFを書き散らしていたホーガンは、自身、いささか恃《たの》むところがあった。

　腹案を洩《も》れ聞いた同僚たちはコンピュータのセールスマン風情に小説が書けるものかと噂し合い、ホーガンの失敗を見越して金を賭けた。『星を継ぐもの』がランダムハウスのバランタイン・ブックスで出て評判を取り、ホーガンは印税に加えて同僚たちの賭けた五十ポンドをせしめたという逸話が残っている。続けて書き下ろした作品が広汎な支持を得て、以後は文筆に専念した。その経歴から見て取れる思いきりのよさ、変わり身の早さは生来の資質であろう。持ち前の楽天主義が作品に明朗な空気を生むところもこの作家の強みで、H・G・ウェルズの厭世観とはずいぶんの隔たりがある。地球温暖化や大気汚染といった問題についても、とかく深刻めかした報道の論調には与《くみ》しない。これはおおまかな性格のためではなく、ひたむきな人間信頼のなせる業《わざ》だろう。ホーガンは作中人物の一人にいわせている。「たいていの動物は、絶望的な情況に追いこまれるとあっさり運命に身を任せて、惨めな滅亡の道をたどる。ところが、人間は決して後へ退くことを知らない。地球上のいかなる動物も真似することのできない粘り強い抵抗を示す。生命に脅威を与えるものに対しては敢然と戦う……。人間は不屈の気概によって海や空を征服し、今では太陽の力さえ手なずけている。時にその攻撃性と強い意思が歴史に血塗られた汚点を残すこともあったが、この強さがなかったら、人間は野に放たれた家畜と同様、まったく無力に違いない」ホーガン作品の根底にはこうして確固たる人間信頼がある。

『星を継ぐもの』と後続の『ガニメデの優しい巨人』、『巨人たちの星』は三部作の体裁で、雄大な結構は胸がすくばかりである。ミステリ仕立てのこともあって種明かしは控えなくてはならないが、宇宙ＳＦの目玉ともいえる未知との遭遇を衒《てら》いなく語りながら、周辺の材料を幅広く取り入れて話を運ぶ作者の手並みは感嘆に価しよう。冒頭の伏線が三作目で解決を見る筋立てに周到な計算が働いている。途中のエピソードがことごとく入れ子細工のように次の謎を孕《はら》んでいるのはホーガン一流の技巧だが、いつか論議は社会科学の畑におよぶ。してみると、作者はそもそもこのＳＦを文明批評の発想で書き起こしたに違いない。そうなればＳＦは水を得た魚である。ホーガンに限らず、『華氏４５１度』のレイ・ブラッドベリや、『人間がいっぱい』のハリィ・ハリスン、あるいは『イルカの日』のロベール・メルルもその点は同じで、文明批評はＳＦの本領だ。初出から三十年余を経た今も『星を継ぐもの』が版を重ねているのはその何よりの証拠ではなかろうか。

E.T.

ひところ、ＳＦが科学を失ってファンタジーに傾く風潮を憂える声が一部にあった。なるほど、あくまでも科学に軸足を置いた小説が本格正統のＳＦだと考える立場からすればもっともで、ホーガンが科学の復権をなし遂げたハードＳＦの旗手と歓迎されているのは喜ぶべき事実だろう。ＳＦと推理小説を止揚して文明批評を繰り広げた器量は見上げたものである。反面、「科学そのままと科学離れ」ということもあって、常に異種混交を求めるハイブリッド文学であるＳＦの特質を思えばファンタジーを斥ける筋はない。人間は科学を知る以前から神話に親しんでいた。神話は人間と人間を超えるものの接点に生まれる物語で、時には未知との遭遇よりも進んだ世界を想定する。なまじ科学の足枷《あしかせ》がなかっただけに語り部たちは自由奔放に夢をはばたかせた。夢とはまだ見ぬものへの好奇心であり、希求であり、また、不安や恐れでもある。つまりは人間のあらゆる情操の源泉といっていい。その夢が科学を胚胎《はいたい》し、科学が進歩して夢の地平を押し広げると、現代の語り部たちは新しい神話の創作に可能性を見出した。すなわちSFファンタジーである。

そのようにして登場した中でもとりわけ深く印象に残った作品に、名匠スティーヴン・スピルバーグ監督がユニヴァーサル・スタジオで撮った映画『E.T.』がある。スピルバーグ監督の原案をもとに脚本家のメリッサ・マティスンがシナリオを書き、それをウィリアム・コッツウィンクルが小説に仕立て直して、拙訳で文庫になった。ふとした手違いから宇宙船に乗りおくれて地球に取り残された孤独な異星人ETと、思春期のとば口でとまどっているエリオット少年が出逢い、心の交流を経て後、お互いに一つずつ利口になって別れるまでの物語で、スピルバーグ監督は詩情と笑いに溢《あふ》れる画面を重ねて童心派が随喜の涙を流すであろうような映画を作り上げた。

ETは少年の一途な心底が身に入みて、後ろ髪を引かれる思いで地球を去る。離ればなれになりたくないのはエリオットも同じだが、地球に引き止めればETのためには悲劇だし、一緒に行けば自身が異星の孤児になるしかないことは誰よりもよく知っている。二人が出逢った時、すでに別れは予定されていた。逢うは別れのはじめという。人は生涯の節目ごとにさまざまな離別を体験する。人生の通過儀礼、避くべからざる別れこそはこの作品の主題である。未知との遭遇どころか、現にET、地球外生物が登場して話の作りはSFに違いないのだが、その点を除けば、これは完全に科学離れしたＳＦで、あたかも作品が脱皮を終えてファンタジーに姿を変えたとでもいうふうに、ＳＦ臭はほとんどない。映画は世代を超えて万人の琴線に触れ、ＥＴは一躍スクリーンの人気者になった。コッツウィンクルの小説は、映画の筋をなぞりながら人物を丁寧に書きこんで効果を挙げている。大人の童心に訴えるよりも、むしろ童心に芽吹いた大人に語りかける狙いであろう。映画では脇役の母親が、もう一人の主人公とさえいえる造形で描かれているあたりにもそれは窺《うかが》える。この母親像によってファンタジーを二十世紀後半の時代風俗にしっくり馴染《なじ》ませたのは作者のお手柄である。

　コッツウィンクルは俳優志望だったが、ある時、口を衝《つ》いて出る即興の科白《せりふ》が自身の演技よりもよほど間がいいと知って作家に転向した。『Ｅ.Ｔ.』の決定的な成功で地歩を固め、児童向けのファンタジーばかりか硬軟併せて特異な作品世界に新生面を拓《ひら》いた実力派である。スピルバーグ監督はこの映画を『ピーナッツ』のチャーリー・ブラウンと同じく、もっぱら子供の視線で撮る考えでいた。コッツウィンクルはそこを一歩進めて、ＥＴの視線に比重を傾けることで小説を大きくふくらませている。ＥＴの心理の揺らぎがエリオット少年の胸に共振を誘って二人が急速に接近するところは頻笑ましい。

　エリオットは弟ができたような気持だった。と、またしても感情の波が彼を洗った。宇宙の神秘と法則を伝える波だった。エリオットは宇宙人が自分よりはるかに年取っていることを悟った。ジャイロスコープが微妙に傾きを正すように、エリオットの中で何かが変わった。彼は自分が感じていることの意味に目をみはった。自分もこの宇宙人と同じ星の子だ。それに、人を傷つけたことはいまだかつてただの一度もない、といえる気がした……。

Ｈ・Ｇ・ウェルズの『宇宙戦争』以来、異星人は地球に脅威を与える存在であるという思いこみが根をおろして、久しく顧みられることがなかった。オーソン・ウェルズが宇宙人来襲の架空実況放送で全米をパニックに陥れた伝説はあまりにも有名だが、これも異星人を外敵とする固定観念を逆手に取った機略の荒技である。だが、時代が変わってＳＦの世界には地球に好意を示す異星人が顔を出すようになり、人類もまた概して地球外生物に親愛の情を懐《いだ》いている。科学技術の進歩がそれだけ宇宙を間近に引き寄せたともいえようか。行き届いた構成で宇宙科学を茶の間に持ちこんだテレビ番組『コスモス』や、未来小説『コンタクト』で知られる天体物理学者、カール・セーガン博士の終生のテーマは地球外知的生物との交信だった。今や宇宙人はＳＦを抜け出して、歴とした科学の対象となっている。セーガン博士は宇宙探査体パイオニアに異星人に宛てた金属板の「絵葉書」を積み、プエルトリコはアレシボの電波望遠鏡から地球人の自己紹介を発信した。純粋に学術目的の試みだが、見ようによってはその企て自体、一編のSFファンタジーではないか。そうした時代の流れがあって、『E.T.』は映画も小説も離別を主題としながら、異星人との共生、もしくは融和を視野に入れた望見を語っている。

不馴《ふな》れな地球の環境で体調を崩したETは心肺停止の状態に立ちいたるが、宇宙からの信号を感受して蘇生する。エリオット以下、仲間の少年一同は何としてもETを母星に帰そうと血気に燃えて、迎えの宇宙船が降下する山間の空き地まで自転車で送り届けるのだが、ETは地球に害毒をもたらす悪獣と決めてかかった捜査陣に行く手を塞がれて万事休すかという刹那《せつな》、少年たちの自転車はETの念力で空高く舞い上がる。映画ではここが最大の見せどころで、客席から拍手が起こるほどだった。先代市川猿之助はこの空飛ぶ自転車から、『当世流小栗判官』の幕切れを飾る騎馬の宙乗りを思いついた、と芸談にある。

そんなこんなで、ほかにもニーヴン、パーネル、ゼラズニーなど、数えてみれば長い間にはずいぶんSFを訳している。科学方面に明るいとは間違ってもいえないけれど、SFを敬遠することもない。テキストを読んで訳者なりにうなずける作品なら引き受けたし、この先もそれは変わるまいと思う。

フルガム現象

やたらに間延びした題名と、まずそのことが評判になった本がある。『人生に必要な知恵はすべて幼稚園の砂場で学んだ』で、もう一つおまけに「ありきたりのことに関するありきたりでない考察」と副題がついている。著者はプロテスタントの中でも考えが自由で柔軟な宗派、ユニテリアンの説教師ロバート・フルガムである。人間、幼稚園さえ出ていれば、とも読める表題にこの言葉が添えてあるところは何やら曰《いわ》くありげだが、むずかしく考えることはない。良い意味で「非常識のすすめ」と受け取っておけばとりあえずは充分だ。説教は務めのうちだから、フルガムは日ごろから話の種に雑学を仕入れては心覚えに文章を書き溜めていた。もとより本にする気はなく、自身の見聞、おりふしの偶感、生活の知恵などをただ興のおもむくままに書き綴《つづ》ったもので、フルガムはこれを話の落ち穂拾いと呼んでいる。出版にいたった経緯は文中にフルガムの説明があるのであえて繰り返すまでもなかろうが、著者の「ありきたりのことに関するありきたりでない考察」に多くの読者がなるほどとうなずき、そのとおりだと手を叩いた。一九八八年の初出以来、九十三ヶ国語に訳されて、今では二十世紀を代表する新古典の一つになっている。

すでにご存じの読者諸賢には用のないことながら、ここはものの順序で、長々しい書名の由来から話をはじめなくてはならない。著者フルガムは年々の春ごとに自身の生活信条《クレド》を書き記す習慣で、若い頃はこれが長大な文章だったが、年を経るにつれてだんだん短くなった。寿命の来た車にハイオクタンガソリンを入れても走行性能は上がらないのと同じで、あまりいろいろ頭に詰めこみすぎるとかえって血のめぐりが悪くなる。短いことはいいことだと気がついたフルガムは目から鱗《うろこ》が落ちて考えた。

人間、どう生きるか、どのようにふるまい、どんな気持で日々を送ればいいか、本当に知っていなくてはならないことを、わたしは全部残らず幼稚園で教わった。人生の知恵は大学院という山のてっぺんにあるのではなく、日曜学校の砂場に埋まっていたのである。わたしはそこで何を学んだろうか。

何でもみんなで分け合うこと。
ずるをしないこと。

人をぶたないこと。

使ったものは必ずもとのところに戻すこと。

ちらかしたら自分で後かたづけをすること。

人のものに手を出さないこと。

誰かを傷つけたら、ごめんなさい、ということ。

食事の前には手を洗うこと。

トイレに行ったらちゃんと水を流すこと。

焼きたてのクッキーと冷たいミルクは体にいい。

釣り合いの取れた生活をすること――毎日、少し勉強し、少し考え、少し絵を描き、歌い、踊り、遊び、そして少し働くこと。

毎日かならず昼寝をすること。

おもてに出るときは車に気をつけ、手をつないで、はなればなれにならないようにすること。

不思議だな、と思う気持を大切にすること。発泡スチロールのカップにまいた小さな種のことを忘れないように。種から芽が出て、根が伸びて、草花が育つ。どうしてそんなことが起きるのか、本当のところは誰も知らない。でも、人間だっておんなじだ。

金魚も、ハムスターも、二十日鼠も、発泡スチロールのカップにまいた小さな種さえも、いつかは死ぬ。人間も死から逃れることはできない。
ディックとジェーンを主人公にした子供の本で最初に覚えた言葉を思い出そう。何よりも大切な意味を持つ言葉。「見てごらん」

それがどうした？　と思われるかもしれない。だが、当のフルガムもいっているとおり、幼稚園のクレドは子供向けの話ではなし、書名から教育論を期待するなら、それは著者の意に沿わぬことだろう。フルガムは文章の杜氏を名乗っている。書くものはどれもみな淡白ながらまろやかかな舌触りで喉越しがいい。飄逸《ひょういつ》な味わいもあって腹にもたれない。ところが、よく読むと意外やこれが辛口で、中身が濃い。能文である。フルガムは生まれも育ちもテキサスで、家は代々牧畜業だった。自身、カウボーイの青年時代を送り、さらにさまざまな職業を体験して後、バーテンを勤めながらユニテリアンの神学校に通って牧師になった。絵が得意で、公立学校で図工を受け持った時期もある。その経歴から身についてか、世の中を広い視野で多角的に見ることを知っている。融通無碍《ゆうずうむげ》で回転が速い。ささやかな卑近の事象を深く考えるのが好きとは本人の弁である。そんなフルガムが目をやるところ、世に発見の種は尽きない。一つことでもわずかに視点をずらせば、それまで見えていなかったものが見えてくる。その発見の驚きや喜びを何でも分け合う主義の実践で、著者は万人向けの平易な言葉で語っている。してみると、章題がそのまま書名になっている冒頭の一編は思索への誘いだといえる。人はここから出発してそれぞれの発見に行きつけばいい。目次をざっと眺めても、暮らしの小景、人間観察、時時の心象、放恣《ほうし》な空想、処世の哲学と、話題は多岐にわたって著者は自身の紡ぎ出す言葉と戯れている風情である。懐の深い座談の名手がここにいる。

この本にはずいぶん矛盾したことが書いてある。読んでいくうちに「待てよ、ちょっと前にぜんぜん反対のことが書いてあったじゃないか」と思われる箇所があることと思う。そのとおりなのだ。どうも、わたしの頭のなかには対立する考えが同居しているらしい。例えば、思索のない人生は不毛だ、とわたしは思う。が、同時に、痴愚の幸福も捨て難い、といった具合である。……この本は、どうか少しずつ、ゆっくり読んでいただきたい。一気におしまいまで読みとおす必要はどこにもない。起承転結があって、読み終えたところで何か結論が出るというわけのものでもない。

フルガムが幼稚園で学んだすべては知恵であって知識ではなかった。人は年とともに知識を増すのが当然で、相応の知識がなくては意思の疎通も成り立たない。知識、情報は荷物にならないからいくらあっても困らない。というより、豊富であるに越したことはないのである。ただ、豊かな知識もそれが活きるかどうかは知恵の働きにかかっている。知識はないよりあった方がいいけれど、知恵を使わなければせっかくの知識も宝の持ち腐れである。もっとも、知恵と知識は表裏の関係で、どちらが先でも後でもない。知識が増せば知恵は深まり、知恵が進めば知識も発達する道理だろう。人の一生はその繰り返しが描く螺旋《らせん》状の軌跡で、途中、どこにも継ぎ目がない。裏を返せば、人は時間と経験に学ぶというに尽きる。わかりきった話ではないか。それが、諧謔横溢《かいぎゃくおういつ》の語り口に引かれて章を追ううち、気がつけば読者は思索に遊んでいる。フルガムの話術である。

著者は幼稚園のクレドでいっている。「金魚も、ハムスターも、二十日鼠も、発泡スチロールのカップにまいた小さな種さえも、いつかは死ぬ。人間も死から逃れることはできない」フルガムは人間が矛盾のかたまりであることを知りながら、矛盾のままに全肯定するのだが、その寛容な思想の原点に人の死を自然と取りなす達観がある。倉田百三を借りるまでもなく、人間は死ぬる者、である。人生は死支度と心得ればあらかたの執着は払拭される。

人の死に立ち会い、死者を弔《とむら》うことは牧師の務めのうちである。病院、死体公示所、斎場、墓地。さまざまな形で死にかかわった経験がわたしの生き方に少なからぬ影響をおよぼしたとしても不思議はない。わたしは大勢の人々を見送った。それゆえ、わたしは芝刈りや、車の手入れ、落ち葉掻き、ベッド・メイキング、靴磨き、皿洗い、といったことどもにあまり時間を使わない。わたしは大勢の人々を見送った。それゆえ、前の車が青信号ですぐに飛び出さないからといってホーンを鳴らすことはない。わたしは蜘蛛《くも》を殺さない。そんな暇はないし、だいたい、そんなことをする必要がない……。

とつおいつ無常に触れているフルガムを読んで『徒然草』を思い出した。彼我の時代と文化の違いを考えてなお、相通ずるところ少なくないからだ。兼好は述べている。「死は前よりしも来たらず、かねてうしろに迫れり。人皆死ある事を知りて、待つことしかも急ならざるに、覚えずして来たる。沖の干潟遥《ひがたはるか》なれども、磯より潮《しお》の満るがごとし」死は確実にやってくる。しかも、いつ襲ってくるかわからない。無常迅速である。「されば、人、死を憎まば、生を愛すべし。存命の喜び、日々に楽しまざらんや」フルガムもまた、生死は一事、人生はただ一度の短い出来事と観じる立場は同じで、それが自在な思考を促している。『幼稚園』は本家アメリカでフルガム現象といわれるほどの反響を呼んだ。何もかもが混迷の度を増して変転きわまりない中で、貫く棒のごとき不易の本質を見すえた著者の言葉が歓迎されたのである。日本でもこのエッセイは部数を伸ばした。

フルガムはカウボーイ時代、ロデオ大会の余興に歌を聞かせてフォーク歌手の肩書きも持っていた。昔取った杵柄《きねづか》だろうか、編集者で音楽好きのキャシ・ゴールドマークが物書きを集めて結成したロックバンドの草分けメンバーで、マンドリン族の珍しい楽器、マンドセロを弾いている。スティーヴン・キングや、エイミ・タンもバンド仲間で、キングの半自伝『小説作法』にこのことを語ったくだりがある。

作者と訳者の出逢い

人はそれぞれで一概にはいえないが、翻訳者と原作者はだいたいが疎遠なもので、四十年この仕事をしていながら、じかに顔を合わせた著者はただ二人、『南仏プロヴァンスの12か月』のピーター・メイルと、『カッコウはコンピュータに卵を産む』のクリフォード・ストールだけである。それもほんの一夕、わずかばかり言葉を交わしたにすぎない。もっとも、面識のあるなしと翻訳の出来は無関係だから、作者を知らずとも不都合とは思わない。これは芝居や音楽の世界でも同じであって、演者と作者の親交が舞台や演奏の質を左右するとは限らないことは、作者がすでに過去の人である場合を考えれば明らかだろう。訳者が原著者の知己を得ていることをもって自分の仕事の折紙とするのは一種の欺瞞《ぎまん》であるとすらいえる。訳者はひたすらテキストと向き合うしかない。作品が面白ければ読者は著者を褒め、気に入らなければ翻訳を貶《けな》す。時に伯楽《はくらく》なきにしもあらずだが、まずもってどっちへ転んでも訳者は割を食うことになっている。逆の立場からすれば、よほど特殊な例を除いて原作者は自分の仕事が異国の言葉でどのような姿に生まれ変わっているか検証の術《すべ》もなかろうから、訳者というのはさぞかし胡散臭《うさんくさ》い存在に違いない。対面して、こいつが日本でおれの作品を訳しているのか、と思ったかどうかは知らないが、ピーター・メイルは同席の編集者に訳者を急かしてはならないことを説いてこっちに味方してくれた。当座の愛想ではなかったろう。ピーター・メイル自身、じっくり書く方で、必ずしも筆は速くない。

『南仏プロヴァンスの12か月』は広告マンだったイギリス人のピーター・メイルがロンドンを引き払って南フランスに移り住み、新しい生活体験を歳時記風に綴《つづ》ったエッセイで、それまではアルフォンス・ドーデやマルセル・パニョルの文学世界だったプロヴァンス地方を読書人の誰もが親しみを覚える距離にまで引き寄せた作品である。初出からやがて四半世紀が過ぎようとしているが、続編の『プロヴァンスの木陰から』『プロヴァンスの昼さがり』とともに、今なお発表当時の輝きは失せていない。著者は旅行者としてかつて何度もプロヴァンスを訪れた。一年のうち、せめて二週間なり三週間なりをかっと熱い太陽に灼《や》かれて送りたいためだった。南仏の豊かな自然と変化に富む食生活、さらには純朴な人心風土に魅せられ、名残を惜しんで帰途につく時はきっと、いつかこの地に住もうと夫婦して心に誓った。

中世の村メネルブとボニューを結ぶ街道沿いに二百年を経た石造りの家を買い取っ

て、ピーター・メイルは旅行者ではなく、生活者として根をおろすことを決心した異邦人の目で周囲を観察するのだが、その親愛の眼差しは気候、風土から、料理、ワインにいたるプロヴァンスのすべてに向けられている。一口に生活者として根をおろすといっても、実際は生易しいことではない。南仏プロヴァンスは独自の歴史を持つ極めて特殊な地域である。気候は厳しく、言葉の壁もある。土地者はそれぞれに奇癖が服を着ているようで、なかなか一筋縄ではいかない。異邦人が習慣の違いを乗り越えて地域社会に溶けこむのは思いのほかにむずかしい。ピーター・メイルは手探りの戸惑いを覚えつつも、そうした苦労を苦労とせず、何があろうと柔軟な自然体である。南仏に居を構えて間もなく、著者はロバの耳さえ吹きちぎるといわれているプロヴァンス名物の北風、ミストラルを体験する。

ミストラルについては会う人ごとにずいぶんいろいろと聞かされた。ミストラルは人や家畜を狂わせる。情状酌量の余地ありとはいえ、どうにも始末が悪い自然の暴力である。時には十五日の間ぶっ続けに吹き荒れて、樹木を根こぎにし、車を覆し、窓を破り、老人を溝に叩きこみ、電信柱をへし折ることもある。青白い幽霊の怨嗟《えんさ》の声さながらに家々を吹きとおし、風邪を流行らせ、家庭内にいざこざを引き起こす。人は仕事を投げ出し、歯痛や偏頭痛に悩む。プロヴァンスで行政に責任を問えない不幸はすべて神風ミストラルのなせる業《わざ》と、土地者たちはいささかマゾがかった誇りをもっていう。

フランス人特有の誇張だろうと軽く聞き流したばかりに、著者はいやという目に遭う。時速百八十キロを記録したミストラルが屋《や》根瓦《ねがわら》を吹き飛ばし、閉め忘れた窓を蝶《ちょう》番《つがい》からむしり取って、気温は一夜のうちに氷点下となり、水道管が凍結して破裂する始末である。修理と家の改装にやってくる土地の職人たちがまた傑物揃いで、ことごとに著者を喫驚させる。見た目はいかにも漫漫的ながら、みな仕事に一家言あって腕がたしかだから心強い。

左官のラモンは漆喰《しっくい》を一塊ずつ鏝《こて》で天井になすりつけ、手首のひねりをきかせて平らに均していく。その仕事にはゆったりとした一定のリズムがある。全部仕上がれば百年前に塗ったように見える、とラモンは広言して憚《はばか》らない。新式の道具はいっさい使わず、直線も曲面もすべて鏝と勘だけでやってのける。ある時、ラモンが帰った後で漆喰の表面にアルコール水準器を当ててみた。なるほど、その仕上げにはいささかの狂いもない。機械仕事ではなく、手作業で塗った漆喰であることは一目瞭然であるにもかかわらずだ……。

風が止めば、あたりは白皚皚《はくがいがい》の雪野原である。

一月の寒い間、谷はひっそりと静まり返っていた。それが、この雪で静寂はいっそう深まった。まるで一円に防音装置がほどこされたかのようである。リュベロン山はわたしたちだけの世界だった。見わたす限りの雪景色は妖しくもまた美しい。ときおり雪の上に一直線に続くリスやウサギのいかにも用ありげな足跡を見かけるほかは、白銀の表を汚すものとてない。人の気配は絶えたきりである。陽気のいい時には猟銃を肩にやってくるハンターたちも今は塒に引きこもっている。銃声かと紛う物音は、木々の枝が雪の重みに耐えかねて折れる音である。それを除けば底なしの沈黙があたりを閉ざし、土地の名物男マッソーの言葉を借りるなら、ネズミの溜息さえ聞こえるほどだった。

たまたま立ち寄ったレストランの客あしらい一つにも、著者の贔屓《ひいき》口《ぐち》とばかりはいえない愛敬がある。プロヴァンスの田舎料理は見場こそ悪いが味は天下一品で、高齢の給仕が自信をもってすすめる土地のワインもなかなかいける。

料理はゴー＝ミヨー・ガイドに書かれているとおり、頬が落ちそうなほどだった。ワインもまた老人の言葉に違わず、わたしたちはコート・デュ・ローヌの赤がすっかり気に入った。山羊《やぎ》のチーズの小さなかたまりにハーブをあしらったオリーブ油のマリネが運ばれてきた時には、すでに瓶は空だった。わたしはハーフ・ボトルをもう一本たのんだ。老人は感心しかねる顔でわたしを見た。

「車はどちらが？」

「運転は家内ですよ」

老人は暗く奥深い酒蔵へ足を運んだ。「ハーフ・ボトルを切らしてしまってね」テーブルに戻って彼はいった。「ここまで飲んでください」老人は新しい大瓶の中程に指先で目に見えない線を引いた。

こんなふうにして、ピーター・メイルは少しずつ新しい土地の暮らしに馴染《なじ》んでいく。ここには日々発見の驚きがあり、生きる歓びがあり、エピキュリアンの幸福がある。脱都会の旋律線を通奏低音として、プロヴァンスの風物人情があやなす多声部音楽《ポリフォニー》を聞く楽しみとでも評すればこのエッセイ三部作が多くの読者を引きつけた秘密はほぼ説明がつこう。ページを開けばいたるところに季節の色と匂いが溢《あふ》れている。ミストラルや無音の雪景色にはじまって、春の訪れを告げる水の滴り、時間が止まったかのような物憂い夏の昼さがり、ラヴェンダーの紫に、日を追って金から赤に変わるブドウの葉並み、と現代人の郷愁をかき立てる情景は枚挙に遑がない。随所に登場する食卓は、常に旬の味覚の饗宴で、その方面に関心のある読者の食欲をそそり、思いを壺中の天に誘う。農夫や職人、市場の商人、そして、レストランのシェフたちは省略のきいた人物描写によって彫りの深い個性を発揮する。季節を語ることでピーター・メイルはプロヴァンスの人々が機械的に秒を刻む時計ではなく、大自然の時計に従って生きる姿を再現している。日常生活からとみに季節感が薄れつつある今の時代、ピーター・メイルのプロヴァンス風景が喜ばれる所以である。とりわけ、歳時記の文化を持つ日本の読者が南仏の四季に心引かれるのはいかにももっともと思われて、著者にそのことを話した。日本人が季節の移り変わりにすこぶる敏感なのだと知ってピーター・メイルはうなずくところある様子だった。プロヴァンス随筆がこの国で歓迎されたのは欧米で空前のベストセラーという情報の効果だけではないという趣旨が通じたなら歳時記さまさまだ。

アーモンドの木がちらほら花をつけはじめた。日脚が伸び、夕焼けが高空を絢《けん》爛《らん》とピンクの縞《しま》模様に染めることが多くなった。狩猟シーズンは終わり、犬と猟銃は向こう半年お役ご免である。段取りのいい農夫らは早々と野良仕事にかかり、ブドウ畑に活気が蘇《よみがえ》った。前の年に無精を決めこんで、十一月に残した剪定を急いでいる農家もないではない。プロヴァンスの人々は老若男女の別なく、みな潑《はつ》剌《らつ》として春を迎える。草花や苗、走りの野菜が市場に溢れ、カフェのテーブルははびこるように舗道にまではみ出した……。

ピーター・メイルは優れた写真家が何の変哲もない風景からはっとする映像を切り取ってみせるように、土地者でさえ、というより、土地者ゆえに人が見過ごしていることどもに目を向ける。距離の取り方が絶妙で、観察の精度が高い。安楽椅子旅行者までが読むほどに曽遊の地に立ち返ったかと思う独特の話術はその延長である。凝視に裏づけられた軽みの話術は小説作品に明朗闊達《かったつ》な空気を醸し出す。構想七年と伝えられる小説第一作『ホテル・パスティス』は筋立てとは別の行間に自伝の色彩が濃い長編で、なるほど、ピーター・メイルを知るにはこれを読むのが手っ取り早い。『愛犬ボーイの生活と意見』はこの作家が飼い犬に仮託して歯に衣着せずにものをいった文明戯評だが、その中でピーター・メイルは自身を突き放してボーイに語らせている。

世にも稀《まれ》なほど不器用な主人はどこへ出かけるわけでもなく、たいていは長いこと自分の部屋に閉じこもっている。閉じこもって何をするかといえば、エンピツを削って、壁をにらんでいるばかりだ。わたしにはどうもよく理解できない。

これによって、ピーター・メイルの笑いに溢れる軽妙な文章の背後には傍目に空白と見える長い時間が流れていることがわかる。物書きなら誰しもで、ピーター・メイルに限った話ではなかろうが、この作者一流の、さりげなく、それでいて味わいのある語彙《ごい》が深慮の選択であるところは見逃せない。ピーター・メイルのにらんでいる壁に、作中人物が一人、また一人と浮かび上がり、やがて、芝居の人形ぶりを見るように著者に操られて動きだす。背景にはリュベロンの山並みが連なり、あるいはさざ波の立つ地中海が午後の陽を浴びて広がっているだろう。物語がどのように展開する場合も、ピーター・メイルの世界には常に明るい光が降りそそいでいる。これは、主人公がみな作者の性格を映して底抜けの楽天家であるためだ。

拙訳の小説はこのほかに『南仏のトリュフをめぐる大冒険』と、『セザンヌを探せ』がある。『大冒険』は長いこと人類の夢だったトリュフの人工栽培成功をきっかけに、黒い欲望が交錯して多様な人物がフーガさながら、追いつ追われつの喜劇を繰り広げる物語で、心ならずも事件に巻きこまれた主人公の目をとおして、おかしくも哀しい人間の姿が描かれている。『セザンヌ』は名画の贋作《がんさく》に材を取った、これも笑いの文学だが、盗難美術が巨大な闇市場を形成しているところからピーター・メイルはこの作品を構想した。現在、盗難に遭い、あるいは紛失して所在不明になっている美術品の総額は時価三十億ドルとも四十五億ドルともいわれる。この闇市場の存続に大きく貢献しているのが贋作者である。盗まれた真作はどこかに秘匿され、これとは見分けのつかぬ模写絵が本物として流通するのはままあることで、世界中の美術館や画廊、個人のコレクションに逸品の名に恥じない贋作が紛れこんでいたとしても異とするには当たらない。

贋作者は世が世なら美術史に名を残して当然の天才か、職人肌の画工である。ロンドン在のさる贋作者はドガを専門とする知られざる巨匠だったが、晩年にいたって自分の才能が世に認められないことを嘆き、偽絵師の仮面をかなぐり捨てて自作のオークションを開催した。原画と寸分違わぬ模写を二万ポンドで落札した蒐集家は、これでも大変な散財だが、真作に何千万ドルも払うことを思えば安いものと、いとも満足の体だった。実際、その絵は間然するところない、ほれぼれするほどの作品だったという話もある。

曰《いわ》くある一枚の絵を追って、読者は怪しげな登場人物たちとともにニューヨーク、ニース、バハマ、パリ、エクス……と、あちこち渡り歩くことになる。昔懐かしいハリウッド映画のパロディがちりばめられているこの作品は一見めまぐるしいようでありながら、その実、時間の流れがゆったりとのびやかで、閑寂な中に作者の遊びが活きている。エッセイにおけると同様、ピーター・メイルは一連の小説で楽天家とはただ成り行き任せの無策な人間ではなく、自前の価値観と解放された自由な精神を堅持して向日的にふるまう人間であることを語っている。だから、時には痩せ我慢もするのが楽天家の身上である。それだけに、読む方も気を長く持たないとこの作者の実像はなかなか見えてこない。今もって、ピーター・メイルは新しい。

狐のガーネット

心あてに旧訳の埃《ほこり》を払って思い出すことなど、そこはかとなく書きつけるうちにも日は移ろい、少し急いだ方がいいところへさしかかった。ここはもう一人だけ、忘れ難い作家の抄伝で記憶の本箱に区切りをつけることとしたい。

デイヴィッド・ガーネットの名は一般にあまり馴染《なじ》みがないかもしれないが、劇団四季のミュージカル『アスペクツ オブ ラブ』の原作者といえばご存じの向きもおありだろう。イギリス文学史に消えやらぬ足跡を残して一九八一年に没した特異な作家である。ポーランド出身の小説家ヨゼフ・コンラッドや、アラビアのロレンスと親交のあった文芸評論家、エドワード・ガーネットを父に、ロシア文学の翻訳で名高いコンスタンスを母に持つ血脈もさることながら、二十世紀イギリス文化の知的良心といわれた文人墨客のサロン、ブルームズベリー・グループの一員だったことも、作家デイヴィッド・ガーネットの人間形成に与《あずか》って力があった。ブルームズベリー・グループは一九〇〇年代の初頭にケンブリッジの学生が談論と親睦の目的ではじめた会合を母体に発展した知識集団で、伝記作家で批評家のリットン・ストレイチー、小説家E・M・フォースター、画家で美術評論家のロジャー・フライ、デザイナーのダンカン・グラントなどが名を連ねているが、『ダロウェー夫人』のヴァージニア・ウルフと、その姉で画家のヴァネッサ・ベルはグループの主力だった。ほかに哲学者バートランド・ラッセル、経済学者メイナード・ケインズ、『源氏物語』の英訳で知られる東洋学者アーサー・ウェイリーも加わっている。実に錚々《そうそう》たる顔ぶれである。もともとが内輪の集まりで、社会活動を標榜することはなかったが、ロジャー・フライの呼びかけにグループが挙げて協力した一九一〇年の「後期印象派展」は新傾向のフランス美術をイギリスに紹介して注目を集めた。

デイヴィッド・ガーネットがブルームズベリーに出入りするようになったのはこの頃で、しばらくは鳴かず飛ばずだったが、ヴィクトリア朝の重苦しい空気から逃れたいと希求したグループの反俗精神に感化を受けたであろうことは疑いない。第一次世界大戦中はフランスに渡って戦災者救済活動に携わり、イギリスへ帰ってからも農耕に従事して良心的兵役拒否の立場を貫いた。大戦後、出版社を起こして事業に精を出す傍ら、処女作『狐になった人妻』でホーソンデン賞を手にし、次いで発表した『動物園に入った男』も好評を博してガーネットは文壇に地位を確保した。『狐』はSF

の元祖、H・G・ウェルズが「いっさいの批評を寄せつけない出色の出来」と激賞して、狐のガーネットか、ガーネットの狐か、といわれるまでになった記念碑的な作品である。

うら若い新妻が一瞬にして狐に姿を変える場面からはじまるこの伝奇小説は簡潔な中に人間感情の大きな振幅を捉えて、発表から九十年を経た今も鮮度は落ちていない。世に数ある変身譚の多くは心ならずも異類に変えられた主人公の内面の葛藤を主題としているが、ガーネットはその常套を脱し、突然の怪異を自分の胸一つにおさめてひたむきに狐になった妻を思いやる男の律儀に輪をかけて愚直な心情を掘りさげた。貴族社会から一歩も出たことのない狐妻が野性に染まっていくありさまと、その変貌をなす術《すべ》もなく見守る夫の懊悩《おうのう》はガーネット文学の真骨頂ともいえようか。続く『動物園に入った男』も奇想の作で、痴話喧嘩の果ての売り言葉に買い言葉で自ら動物園入りを志願する青年の屈折した心理を描きながら、やがて相思の二人がそれぞれに一皮剝けて認め合うまでを笑いにまぶして語った好編である。この作者に突飛な発想を翫《もてあそ》ぶ意図は毛頭ない。情況設定が奇抜な分、人物描写も叙景も現実に即していたずらな感傷に堕さず、かえってそれが読者を荒唐無稽な非日常の世界に誘う効果を生んでいる。

『水夫の帰郷』は豪放磊落《らいらく》な船乗りターゲットが奴隷海岸ダオメの王女、テューリップを妻としてイギリスに連れ帰り、旧弊な農村の人種偏見と闘いながら、持ち前の向こう気ゆえに自身の運命を手繰《たぐ》り寄せて志半ばに果てる悲劇だが、黒曜石の輝きを思わせるアフリカの貴女はギリシア神話のメディアが若やいで登場したかのようである。コルキスの王女メディアは金毛羊皮を求めて遠征した冒険者集団、アルゴナウテスの英雄イアソンと恋に落ち、妻となってギリシアに渡る。メディアの助けで金毛羊皮を手に入れたイアソンだが、叔父のペリアスは約束を違えて王位を譲ろうとしない。このあたりは水夫ターゲットが富を得て異国の王女を娶《めと》り、帰ってみれば村人らの狭量に阻まれてとかく思うに任せない事情と符合する。ターゲットはあくまでも妻を庇うから、イアソンに捨てられるメディアと違ってテューリップは復讐鬼《ふくしゅうき》とならずに済むのだが、自ら手を下すわけではないものの、子供を失う不幸は同じといえる。ガーネットはこのほかに史伝『ポカホンタス』を書いている。ポカホンタスはアメリカの先住民ポーハタン族の族長の娘で、現地で囚われの身となったイギリスの植民地開拓者ジョン・スミスを部族による処刑から救ったとされる人物である。後に入植者ジョン・ロルフの妻となり、レベッカと名を変えてイギリスを訪れたが、帰米を前に若くして病没した。

　先住民は文字を持たなかったから、伝説の出典は唯一ジョン・スミスが著した回想記だけで真偽のほどは不確かのまま、これが植民地開拓史の美談ともてはやされて、後年、おびただしいポカホンタス神話を生んだ。ガーネットはそのすべてを通覧し、史料を博捜した上、自身の想像力を解き放って長編『ポカホンタス』を書きおろしたのである。この未訳の大作が研究家の間でどう評価されているかは寡聞にして知らないが、ガーネットが異文化の邂逅《かいこう》に端を発する人間模様の悲喜こもごもに関心を寄せていたであろうことは推して知るべしだ。テューリップといい、ポカホンタスといい、史実と虚構の対位法に物語作家ガーネットの面目躍如たるものがある。

ロンドン南郊を舞台に少年時代の体験を綴《つづ》った『ビーニー・アイ』はガーネットを知るために、何はともあれ一度は読んでおきたい作品である。自伝中、作者八歳のくだりを小説仕立てにした短編で、ビーニー・アイと綽名《あだな》されて、時として抑えがきかずに暴力に走る変質者を子供の目で描いているのだが、作者の真の狙いは文芸評論で名を残した父、エドワード・ガーネットを書くことだった。あるところで作者は述べている。「父はお世辞にも豪傑ではなかったが、常軌を逸したビーニー・アイと正面から向き合った時の態度ふるまいは毅然として、実に勇敢そのものだった」暴力漢を相手に身の危険を意識しながら、父エドワードはビーニー・アイの厚生に心を砕く。その男気が清々《すがすが》しい。少時の追憶をたどれば自ずと蘇《よみがえ》る父への思慕がガーネットにこの作品を書かせたに違いない。

ロシア文学の翻訳で世に知られていながら、第一流の優れた業績を除いてはめったに話題に上ることのない母親コンスタンスも作中に素顔で登場する。ツルゲーネフにはじまって、トルストイ、ドストエフスキー、チェーホフ、ゴーゴリと、コンスタンスの訳業は広汎にわたり、イギリスのみならず、明治・大正の日本にもその英訳によってロシア文学に親しんだ読者は少なくない。ガーネット少年はコンスタンスが翻訳の筆を進める傍らで代数やユークリッド幾何を復習《さら》ったが、自分の勉強はそっちのけで母親の仕事ぶりに見入ることがしばしばだったと、これも自伝にある。『ビーニー・アイ』はまた、世紀の曲がり角の時代色を濃く写して余韻が尾を曳《ひ》く作品である。ちょっと目先の変わったところで『イナゴの大移動』がある。小型飛行機の操縦免許を取る過程で想を得た小品だが、内容、描写とも本職の飛行家をして顔色なからしめる快作と評判を取った。飛行機に乗ること自体が命懸けの冒険だった時代である。長距離飛行の記録更新を目論んでロンドンを発った単葉機が故障して、新疆維吾爾《シンキヨウウイグル》自治区の東端から甘粛省《カンスー》にまたがるあたり、祁連《チーリエン》山脈の北麓と思しき砂漠の涸れ谷に不時着する。負傷した操縦士は極限情況のそのまた極限で孤愁のうちに死と向き合わなくてはならない。飢えと渇きは操縦士を狂気のとば口に追いつめる。

　そこへ空を覆うイナゴの群来である。背に腹は替えられず、操縦士はイナゴを食って餓死を免れる。地方によっては昔から蜂の子やイナゴを食用としている日本の読者はさして驚くこともなかろうが、このくだりは巻中でもとりわけ印象深い。錯乱と正気の間に揺れ動く遭難者の心理や、群飛するイナゴの生態を克明に描いてガーネットは極めて密度の高い作品を完成した。

ガーネットは新聞雑誌でも書評に健筆を揮い、編集者としてはアラビアのロレンスの書簡集や、トマス・ピーコックの小説集編纂《へんさん》の仕事を残した。晩年の自伝三部作はブルームズベリーの群像を語って、その史料価値は増しこそすれ減ずることはない。小説作品がことごとく成功して赫奕《かくえき》たる存在だったガーネットだが、いつの頃からか知る人ぞ知るでほとんど忘れられたまま、埋没に甘んじているとあってはいかにも惜しい。記憶を呼び戻し、さらには新しい読者層にガーネットを紹介することになればと、ここに挙げた中短編六作をひとまとめに『傑作集』を企画したところ、大先達である新庄哲夫氏のお口添えを得て、河出書房新社が刊行を英断した。新庄氏は自身、ガーネットの愛読者で、この作者を知悉《ちしつ》しておいでだった。傑作集全五巻のうち『アスペクツ・オブ・ラブ』が新庄訳で収録されているのはそうした経緯による。企画は順調に進んで完結まであとわずかという段になって新庄氏は鬼籍に入られた。常々、ガーネットの自伝三部作を訳出したいと意欲をお見せだっただけに悔やまれてならないが、はからずも『アスペクツ・オブ・ラブ』が旧訳ながら活字で公刊された新庄氏の最後の訳業となったのはせめてもの記念である。

翻訳の言語環境

先達の事績

翻訳の現場で暮らしていると、調べもののつもりがいつか古典に遊ぶこともある。土井晩翠《つちいばんすい》を読んだのもそんなきっかけからだった。『荒城の月』や『星落秋風五丈原《ほしおつしゅうふうごじょうげん》』で島崎藤村と並び称された詩人・晩翠は誰でも知っているだろうが、翻訳家の晩翠となると必ずしも広く親しまれてはいないかもしれない。訳業は数多ある中で、とりわけ晩翠の名を赫奕《かくえき》たらしめているのは西洋古典の精髄とされるホメロスの二大叙事詩『イーリアス』『オデュッセイア』である。先に紹介したアシモフのリメリックも出典はホメロスで、異能のアシモフがギリシア文学に通暁していたことは疑いを容れないが、しょせんは余技の戯《ざ》れ歌《うた》にすぎない。対するに晩翠の仕事は一点一画もおろそかにしない完訳、それもギリシア語原典からの韻文訳である。

晩翠は一九〇〇年代のはじめに三年あまりヨーロッパに留学し、ホメロス文献を蒐集して戻った後、仙台の旧制二高で教鞭を執るかたわら「この間に時々閑《ひま》を偸《ぬす》み、大学時代には思ひもかけなかった『イーリアス』の韻文訳をおっかなびっくり試みた」と自伝にあり、三十数年を費やしてホメロス全訳を果たした。ギリシア語は自学自習である。一九四〇年に冨山房が刊行した『イーリアス』の序に晩翠は述べている。「西欧文学東漸以来、明治大正昭和の三代を経てホメロスの韻文訳がまだ一度も世に現れぬのは日本文学の名誉ではない」。この心念が晩翠を衝《つ》き動かした。晩翠はまた同書の跋文《ばつぶん》で、定評のあるハインリヒ・フォスのドイツ語訳に哲学者ヘーゲルが寄せた讃辞を紹介している。「ルターは聖教を訳し、君はホメロスを訳して、ともにドイツ国民に最大の恩恵を与えた。優秀のものを自国語で読めぬなら、その民族は野蛮であり、優秀のものをわがものと眺めることができぬ」これこそは晩翠の本意だった。

女神よ歌え、アキリュウス・ペーレーデース凄まじく
燃やせる瞋恚《しんに》——その果てはアカイア軍に大いなる
禍来たし、勇士らの猛き魂冥王に
投じ、彼らの屍《しかばね》を野犬野鳥の餌と為せし
すごき瞋恚を（かくありてヂュウスの神意満たされき）
アトレーデース、民の王、および英武のアキリュウス、
猛り争い別れたる日を吟詠の手はじめに。

かくて晩翠は日本の詩史にギリシア古典の置き土産を遺した。ホメロスを自国語で読めるようにした晩翠は今、九原にあって「栄枯は移る世の姿」を何と観じているだろうか。

晩翠と同時代の詩人に蒲原有明がいる。十二世紀ペルシアの科学者で詩人、オマル・ハイヤームの四行詩集『ルバイヤート』をはじめて日本に紹介したのがこの人である。晩翠のホメロスは原典訳だが、有明の『ルバイヤート』は十九世紀イギリスの詩人、エドワード・フィッツジェラルドの編訳によっている。もともとは有閑詩人の筆のすさびだったのがオマル・ハイヤームの名を世界に広めたところから、フィッツジェラルドといえば『ルバイヤート』、『ルバイヤート』といえばフィッツジェラルドと、今やそれ自体が英文学の古典に位する孤雲のごとき詩業である。ひたすら酒を称え、つかの間の命を諦めのうちに肯定するオマル・ハイヤームは享楽主義に徹しているように思われるかもしれないが、その実、『ルバイヤート』は懐疑の果てに行きついた無常の詠嘆であって、フィッツジェラルドの訳詩が人口に膾炙《かいしゃ》したのもそこを巧まずして伝えたためだった。同じ意味で、蒲原有明の韻文訳は祇園精舎《ぎおんしょうじゃ》の鐘の声を知る日本の読者に迎えられた。

ΙΛΙΑΔΟΣ Α

Μῆνιν ἄειδε, θεά, Πηληϊάδεω Ἀχιλῆος οὐλομένην, ἣ μυρί᾽ Ἀχαιοῖς ἄλγε᾽ ἔθηκε, πολλὰς δ᾽ ἰφθίμους ψυχὰς Ἄϊδι προΐαψεν ἡρώων, αὐτοὺς δὲ ἑλώρια τεῦχε κύνεσσιν οἰωνοῖσί τε πᾶσι, Διὸς δ᾽ ἐτελείετο βουλή, ἐξ οὗ δὴ τὰ πρῶτα διαστήτην ἐρίσαντε Ἀτρεΐδης τε ἄναξ ἀνδρῶν καὶ δῖος Ἀχιλλεύς.

THE ILIAD

BOOK I

THE wrath do thou sing, O goddess, of Peleus'son, Achilles, that baneful wrath which brought countless woes upon the Achaeans, and sent forth to Hades many valiant souls of warriors, and made themselves to be a spoil for dogs and all manner of birds; and thus the will of Zeus was being brought to fulfilment; —sing thou thereof from the time when at the first there parted in strife Atreus' son, king of men, and goodly Achilles.

泥沙坡《ネイシャプル》とよ、巴比崙《バビロン》よ、花の都に住みぬとも、
よしや酌むその杯は甘しとて、はた苦しとて、
絶え間あらせず、命の酒はうちしたみ、
命の葉もぞ散りゆかむ一葉一葉に。

Whether at Naishapur or Babylon,
Whether the Cup with sweet or bitter run,
The Wine of Life keeps oozing drop by drop,
The Leaves of Life keep falling one by one.

竹友藻風も『ルバイヤート』で知られる学匠詩人だが、フィッツジェラルド訳にひたと寄り添いながら、無駄を嫌う短詩のあるべき姿を指さしている。

バビロンとナイシャプールをわれ問はず、
さかずきは苦くとも、あまくともあれ、
命の酒は雫ひまなく浸みやまず、

命の葉、ひと葉ふた葉と落ちやまず。

（参考までに、小川亮作による原典訳を添えておく。）

バグダードでも、バルクでも、命はつきる。
酒が甘かろうと、苦かろうと、盃は満ちる。
たのしむがいい、おれと君と立ち去ってからも、
月は無限に朔望をかけめぐる！

以後、多くの先達がフィッツジェラルド訳を底本に、あるいはペルシア語原典から『ルバイヤート』を日本語にした。現代風の散文訳も容易に手に入るから、詳しくはそちらに譲るとして、もう一編だけ、小川亮作と竹友藻風で読んでみよう。

一壺の紅《あけ》の酒、一巻の歌さえあれば、
それにただ命をつなぐ糧さえあれば、
君とともにたとえ荒屋に住まおうとも、
心は王侯《スルタン》の栄華にまさるたのしさ！

A Book of Verses underneath the Bough,
A Jug of Wine, a Loaf of Bread —— and Thou
Beside me singing in the Wilderness ——
Oh, Wilderness were Paradaise enow!

ここにして木の下に、いささかの糧、
壺の酒、歌のひと巻——またいまし、
あれ野にて側らにうたひてあらば、
あなあはれ、荒野こそ楽土ならまし。

フィッツジェラルド訳を嚆矢として『ルバイヤート』は各国語で版を重ね、ペルシアの詩人、オマル・ハイヤームはご存じケテルビーの名曲『ペルシアの市場』より一足早く世に知れわたった。さらにはネヴィル・シュート、アガサ・クリスティ、ジェイムズ・ミッチェナーなど、英米の作家が小説の題名にその詩句を借りたこともあって『ルバイヤート』はいっそう読者大衆の身近に意識するところとなった。このとおり、一国の文化が翻訳を介して波のようにうねりながら辺境にまで伝わるありさまを、ある時は海流に、またある時は隊商の駱駝《らくだ》の列に見立てたのはシェイクスピア訳者と名も高い英文学の故・安西徹雄氏である。今さらいうまでもなく、東西の古典を代表する聖書と仏経はいずれも翻訳の集成だが、安西氏はそこから説き起こして文化史とはとりもなおさず翻訳の歴史であることを論証し、すでに形の出来上がっている原作を引き写すだけの翻訳はしょせん二番煎じにすぎないと断じる世間にありがちな謬見《びゅうけん》を一蹴している。読み捨ての娯楽小説にしたって事情は変わらない。何であれ、自国語で読める体裁が求められるなら翻訳の出番はある。

白秋の『まざあ・ぐうす』

北原白秋も、おそらくは晩翠と同じ考えでイギリスの伝承童謡『マザーグースの唄』を訳した。鈴木三重吉の児童文芸誌〈赤い鳥〉に連載した「英国童謡訳」で、大正の後期、一九二二年に『まざあ・ぐうす』の題名でアルスから単行本で出た。マザーグースは何百とあるイギリス伝承童謡を一括する総称だが、いわゆる童歌にはじまって、子守歌、謎々、地口、数え歌、遊戯に付随する囃《はや》し歌《うた》、ことわざ、呪文など、内容・詩形とも種々さまざまな英語表現の小宇宙であり、幼時の記憶が庶民大衆の郷愁を誘って通有の感性を生み育てた言葉の泉である。誰でも知っている懐かしい歌の数々によって心情の共有を確かめ合えるイギリス人は幸せだという論者もいる。民間伝承に由来する言葉が意思の疎通を助け、相互理解を約束する場面も多々あって、マザーグースは英語文化の縦糸をなしている。竹久夢二も何編か訳しているように聞いているが、これを是非とも日本の子供たちにと詩人の心意気を見せた白秋がマザーグース訳者の元祖であることは間違いない。巻末の一文に白秋は述べている。「本来の民謡なるものは、だれが歌ったとなく歌いだされて、つぎつぎに歌い伝えられて、歌いなおされて、ほんとうに洗練されたいいものばかりが永く残ることになったのである。で、その長い民族精神の伝統ということについて充分に尊重しなければならない。……こうした民族の伝統ということを考えないで、ただ優秀な詩人の手になるもののみが真の高貴な歌謡だと思うのはまちがいであろう。私はそうした妙な詩人気取りはきらいである」自然にわきあがってきた民衆の童謡に寄せる白秋の共感がこの語気に現れている。白秋はまた、マザーグースを訳しながら「洋の東西を問わず子供の感情ないし感覚生活ということについてはほとんどおなじだということに驚かされた。『てんとうむし』のごときは全然日本の『からすからす』の童謡とそっくりではないか。幾つかの『ででむし』の謡《うた》のごとき、またほとんど同じではないか」

ご存じの読者も少なくないとは思うが、念のために白秋訳と原詩を引いておくと、

てんとうむし、てんとうむし、
はよう家《うち》へかえれ、
おまえの家ゃ火事だ。

みんな子供がやけしんだ。
むすめのアンヌがたったひとり、
プッジングのなべの下に
つんぐりむんぐりもぐった。

Lady bird, lady bird, fly away home,
Your house is on fire, your children all gone;
All but one, and her name is Ann,
And she crept under the pudding pan.

これがどうして日本の「からすからす」と同じなのかというと、童歌に「烏、烏、勘三郎、お前の家が焼けるぞ、早く行って水かけろ」があって、いずれも真っ赤な夕焼けを歌っているからだ。「ででむし」もマザーグースによく登場する生き物で、多くは蝸牛に対する子供たちの好奇と親愛を語る歌である。

Snail, snail, come out of your hole,
Or else I will beat you as black as a coal.

Snail, snail, blow your horn,
Or else I'll give you a peppercorn.

ででむし、ででむし、穴を出ろ、
でなけりゃ、貴様をぶちのめす。（竹友藻風）

でんでんむしむし、
角ひけよ。
ひかなきゃ山椒の粒ふりかける。（北原白秋）

おおかたの読者はここから昔の文部省唱歌「でんでんむしむし、かたつむり、おまえの頭はどこにある」を思い出すだろうが、これを日本の童歌と同じだといった白秋の連想ははるか遠く平安末期まで遡《さかのぼ》る。後白河院の撰になる『梁塵秘抄《りょうじんひしょう》』は今様《いまよう》、つまり当時の流行歌を編んだ詞華集で、白秋はこよなく愛してやまず、「ここに来て梁塵秘抄を読むときは金色光《こんじきこう》のさす心地する」と詠《うた》ったほどである。集中に「舞へ舞へ蝸牛」の一首があって、『秘抄』でも指折りの佳品とされている。

舞へ舞へ　蝸牛《かたつぶり》
舞はぬものならば
馬の子や牛の子に蹴させてん
踏み破《わ》らせてん
まことに美しく舞うたらば
華の園まで遊ばせん

マザーグースの伝承と日本の古謡に通じ合う童心の射影は白秋を喜ばせた。イギリスに限らず、庶民大衆の共通感覚に伝承が潜んでいるのはどこも同じだろう。古典と名のつく文学遺産にことかかない日本はマザーグースのある英語文化圏とくらべたって大威張《おおいば》りだ。白秋はそれをいいたかったに違いない。

当世日本語事情

ここにいささか気懸かりなことがある。めまぐるしいまでの日本語の変化である。言葉は生き物だから時代とともに変わって不思議はない。時間の淘汰《とうた》を経ている限りは変化も自然で緩やかだ。ところが、世の中が忙しなくなってそのようなゆとりを欠いているのが昨今の日本語事情である。そこへ持ってきて、情報技術の進歩が言葉の変容に拍車をかけている。インターネットが空気と同じになった今、世人の多くは巷《ちまた》に溢《あふ》れる情報の信号雑音比にほとんど関心を払わない。情報は手っ取り早いことが先で、純度は二の次である。パソコンがかつて茶の間の祭壇だったテレビに取って代わり、加えて漢字を嫌う風潮がカタカナ言葉の氾濫《はんらん》を招いた。思うにこれは携帯端末の普及に帰因することだろうが、小さな表示画面に文字を入力する都合で言葉を無分別に縮めるようになったあたりから日本語の急激な変化がはじまった。変化の実態が風化であり、劣化であるとしたら穏やかでない。

ギリシア神話に登場する嗜虐《しぎやく》趣味の悪党プロクルステス、またの名ダマステスはご存じだろう。旅人に宿を貸すのは親切ごかしで、泊まり客をくり上げて身長がベッドに足りなければ引きのばし、はみ出れば切り落としたという暴力漢である。この故事から、強引な画一化を意味する英語表現、プロクルスティアン・ベッドが派生した。これと同じで、言葉をぞんざいに詰めるのは省略というより断裁に近い。細切りにされた言葉は意味を失って用をなさない。にもかかわらず、漢字を避けようとすればカタカナになり、外国語を書くようにはできていない五十音表記は間延びして語呂が悪い。というわけで言葉の解体はますます加速する。

カタカナ言葉がいっぱいの日本語は玩具箱をひっくり返したようで、見た目に雑駁《ざつぱく》な印象を与える。洋画の邦題など、今ではほとんどが意味不明なカタカナの羅列でしかない。

こうやたらにカナばかりでいいのかなと思っているうちに、これでもかとばかり、単語の頭文字だけを並べるアルファベット表記が流行りだした。KYはさしずめその代表だろうが、これで「空気が読めない」を意味するとはまるで判じものである。KYはケンタッキー、カーコルディなど地名の略号だし、ミャンマーの通貨単位チャットの記号にもなっている。さがせばほかにも用例はあるはずだ。それを知ってか知らずか、問答無用でKYは空気云々だというのはうなずけない。だいたい、何をもって空気が読めないとするのか、はなはだ不得要領ではないか。どうやらここにはこれで通じる仲間だけでかたまって、自分たちとは感性の異なる他者を疎外しようとする意識が働いている。いうなれば仲間言葉の島で、ＫＹは相手を識別する隠語、符丁なのである。その上、暗黙のうちに年齢制限が加わるとなると、世代を越えた対話は成り立たない。なおよく見れば、ＫＹは「漢字が読めない」とも取れる。こうしたことが今、日本語世界のあちらこちらで起きている。

現代版・バベルの塔

翻訳の読者対象は不特定多数で広い層にまたがっているのだが、言葉の変質が障壁となって共通の理解を妨げるとしたら憂うべきことである。いつだったか、ＮＨＫテレビで「若者と大人」という視聴者参加の討論番組を見たことがある。百人ほどが二手に分かれて意見を戦わす趣向だったが、番組は終始一貫、対立の図式で構成されていたために議論はまるで不毛というほかはなかった。若者は「大人は古くて、固くて、うざったい」と年長者を毛嫌いし、大人は「若者は無知で、幼稚で、不作法だ」と若年層を忌避するばかりで、お互いにわかり合おうとする気持は薬にしたくともありはしない。若者は自身いくばくもなく大人になることを考えず、大人の方もまた、自分たちがつい最近まで若者だったことを忘れているらしいのは滑稽だった。

世の中が年代層の薄い輪切りになって、縦の人間関係が損なわれたところから言葉の風化が進んで共通の理解を阻んでいるともいえようし、言葉の風化がこの断絶を招いたと見ることもできようから、どこまで行っても鼬《いたち》ごっこだが、世代間で言葉が違うのは当然で、何ら不都合はない。これは年代層に限った話ではなく、人それぞれがどのような言語体験を重ねてきたかの問題である。言葉はいろいろで構わない。肝腎なのは意識が異なる同士でも言葉が通じて理解が一致することだ。言葉の変質が対話を困難にしている情況はバベルの塔を思わせる。周知のとおり、旧約聖書のバベル神話は言語の多様化を人類に科された罰としている。創世記に、天に届く塔を建てようという人間の思い上がりを戒めて神は言葉を乱し、意思の疎通を妨げて人類を四分五裂させたとあることから、雑多な言語の混在が不幸を招くと考える信仰が生まれ、人類が単一の言語を用いれば世界は平和になるという思いこみが広まった。なるほど、創世記のバベル神話は「全地は一つの言葉、一つの音のみなりき」ではじまっている。ここだけ読むとバベルの塔以前の人類はみな同じ言葉を話していたことになるのだが、ちょっと待ってもらいたい。これは創世記第十一章の冒頭である。すぐ前の第十章は洪水を生き延びたノアの子、セム、ハム、ヤペテのその後を語っている。ノアの遺児からさらに多くの子孫が生まれて諸国に移り住むが、「おのおの、その方言《ことば》と、その宗族《やから》とその国とに随《したが》いてその地に居りぬ」で、この時すでに「全地は一つの言葉」ではない。してみると、バベル神話はそれまで言葉が違っても意思を通わせていた人間同士、何らかの事情で断絶のやむなきにいたった歴史の一齣《ひとこま》と解すべきだろう。今日の社会で符丁と化した仲間言葉の島が感性の異なる他者を排斥する光景はこれとよく似ている。もともと言語の分化は人類にとって呪いではないはずなのに、そこをまたぎ越して通じ合わない悲劇がすなわち現代版・バベルの塔である。

漢字の功罪

翻訳は日本語にはじまって日本語に終わる。日本語を考えるとなれば、漢字は避けて通れない。漢字が厄介なのは事実だが、これがなければ日本語による文章表現は不可能だから何ともいたしかたがない。今さらいわでものことながら、維新から明治の中葉にかけて日本が短期間で近代化の実を挙げたのは層の厚い漢学の蓄積があったからで、漢字の包容力と造語能力が大いに役立った。それまでにはなかった事物や概念が滔滔と流れこんでくる情況に、日本は漢字を組み合わせて新しく言葉を作ることで対応した。この和製漢語の注入で日本語の語彙《ごい》は飛躍的に増大したが、一方で、日本語は文字に意味を頼るという特殊事情を抱えこんだ。漢字で書いてはじめて通じる言葉、「字音語」が幅をきかせるようになったのである。会話においても、日本人は音声を聞いてほとんど無意識に頭の中で漢字を検索し、咄嗟《とっさ》にどれか一つを選んで相手のいっていることを理解する。これを何食わぬ顔でやってのける能力は神業に近い。

長いこと漢字仮名混じりで暮らすうちに日本人が身につけたものである。多少とも中身のあることをいったり書いたりするにはどうしても字音語を使わざるを得ない。とりわけ翻訳は限りなく原作に接近することが第一だから、文脈によってここは漢字でという場合もしばしばだ。それを考えずに、不用意に漢字を捨てれば日本語は自由を失って幼児語に退化する。

漢字は旧弊だから放棄しようという議論は昔からあって、郵便制度の創設者、前島密は慶応年間に「漢字御廃止の義」を幕府に建白したし、大隈重信の早稲田大学創立に参画した高田早苗も同じことをいった。伊藤博文内閣の文部大臣、森有礼にいたっては漢字どころか日本語廃止論さえ唱えた。「決してわれわれの列島の外では用いられることのない貧しい言語を止めにして英語にしよう。日本の青年はアメリカ女性を妻として人種改良せよ」とまでいったのだからなまじではない。いずれも日本の欧化を急ぐあまり、言語の本質を見誤った議論である。カナ書きかローマ字表記にすれば日本語も〝欧米並みの進んだ言語〟になると考えるのは短絡もはなはだしい。事実、その考えに沿った国語改革運動は何の成果もなく終わっている。

ところが、昭和の敗戦を機に漢字が日本の民主化を遅らせているというGHQ、占領軍総司令部の鶴の一声で当用漢字が制定された。その後、ほんの気は心で制限を緩めたのが現在の常用漢字だが、これで日本語はどう変わったろうか。

かつて日経新聞に「領空侵犯」と題するコラムがあった。各界の一言居士《いちげんこじ》が分野の垣根を越えて持論を展開するインタヴュウ記事で、あれこれ読んだ中ではクラレ会長、和久井康明氏の発言に少なからず意を強くした。和久井氏は漢字の使用制限撤廃と国語教育の見直しを訴えておいでである。ことは漢字だけではない。教育が漢字を制限し、古典を敬遠した結果、文語と詩が影をひそめて日本語が見る影もなく痩せ細っている現状を思えば、漢字制限を撤廃して教育の場から国語の復権を図れという和久井氏の主張は堂々の正論である。時代の流れで言葉が変化するのは当然だが、不易をないがしろに流行ばかりを追えば言葉は衰退を免れまい。たかだか百年前の文学遺産が読まれないようでは、日本人の識字率を誇ってみても話にならない。漢字がむずかしかったらルビをふればいい。漢字仮名混じりの文章表記と並んでルビは日本人が歴史の中で編み出した数少ない、それも極めて優れた方法で、ルビの文化、あるいはルビの思想とでもいうに価する知恵の結晶である。『立川文庫』が誰にでも読めたのは総ルビだったからで、子供までがフリガナの助けであの講談調に親しんだ。

フリガナがあれば知らない漢字の読みがわかって意味を調べる糸口となる。わからないながらも、ルビを便りに読み下せば文章の流れを感じることができる。これを繰り返すうちにいつのまにか言葉が身についている。カタカナ言葉もルビに使えば漢字の意味と、何語であれ、多少はそれらしい響きが伝わって一石二鳥である。この重宝なルビを捨てるという法はない。ルビの効用で新しい言葉や表現を知るのも本を読む楽しみのうちだろう。そうやって覚えた言葉は時間を経ても色褪せず、世代をまたいでも意味が変わらない。これが共通の理解を後押しする。もちろん、文章は平易に如《し》かずだが、平明の落とし穴は作品の興を殺《そ》ぐ。味も素っ気もないほど水で割ってまで下戸に盃を勧めるのは考えものだ。

規範と伝承

言葉は過去と現代を結び、今を明日へつなぐ。まさしく文化の縦糸である。ここでもう一度、伝承ということに触れておきたい。

例えば先に引いたマザーグースを日本の学校ではどのように教えているのだろうか。詳しいことは知らないが、時たま有名な童謡が英語か音楽の教科書に載る程度で、マザーグースの全体像からはおよそかけ離れた埋め草の扱いがせいぜいではないかと想像する。子供に早くから英語をという謳《うた》い文句でマザーグースを教材にしている町の私塾もあるらしい。それとても、童謡はしょせん子供のものと決めこんでわずかばかり片言の英語を教えるくらいが関の山だろうから、マザーグースの本質はなかなか見えてこない。伝承童謡を意味する英語はナーサリー・ライム（nursery rhyme）で、ご案内のとおりライムは押韻のことである。数ある唄はみな正しく脚韻を踏んでいる。どうせ子供の世界だからと、そのあたりを気にとめずに読み飛ばしてはいけない。童謡といえども本式の韻文である。英語圏の子供たちは三つの頃からこれで育って、韻の何たるかを目と耳と舌で知っている。長じて詩を書くとなればまずまっさきに韻を案ずるし、その便宜に押韻辞典も完備している。口語体の凡俗な恋唄だって歌詞は韻を踏むのが普通である。まあ、それはさておき、マザーグースには歴史や伝説を語る唄があり、風俗習慣の写生や批評があり、自然観察がある。こうしたことを学校がさらりと教えてくれるといいのだが、実際はどうか、いささか心許ない。教室の子供たちにマザーグースをどしどし読ませて言葉の向こうに文化を感じ取るような授業をしたらといっては贅沢《ぜいたく》だろうか。

そこは工夫次第で何とでもなるはずだ。洋の東西を問わず子供の感性は同じと知って驚いた白秋の顰《ひそ》みに倣《なら》うなら、イギリス伝承童謡と日本古来の童歌に類比を見つけることからはじめてもいい。教科の枠を取り払う手だってある。英語の教師がマザーグースを語りながら、いつか話は『古今・新古今』におよぶとしたら生徒にはさぞかし新鮮だろう。反対に、国語の先生がマザーグースを英語で教えてはならないという決まりがあるだろうか。それをきっかけに、子供たちが日英両語に関心を深めるようならしめたものだ。その延長で、高校では『方丈記』を夏目漱石の英訳で読ませるというのはどうだろう。鴨長明のあの澄明な文章も、そのままでは取っつきにくいかもしれないが、漱石がいったん咀嚼《そしやく》して書き替えた英文を読んでから向き合えば、なるほどとうなずける。漱石の英語を介して鎌倉期の随筆から古典の世界に分け入り、翻って漱石山脈の近代文学を読むようになるとしたら大いに結構ではないか。これはダンテの『神曲』や、マンゾーニの『いいなづけ』の訳で知られる比較文学の平川祐弘氏がすでに学生相手に実践して、効果が検証されている方法である。アーサー・ウェイリーの英訳によって国文、漢詩を講じた平川氏はその著、『日本語は生きのびるか』で述べている。「翻訳を使って授業してよいのか。英語の勉強としては翻訳が英文としていい翻訳ならそれでいい。というかそれがいい。翻訳は原則として原文よりも平易になる。それだから明治の人が英訳でモーパッサンやトゥルゲーネフを読んでやさしいと感じたのである。」デイヴィッド・ガーネットの母、コンスタンスの英訳で多くの読者がロシア文学に親しんだことを思えばさこそと合点がいく話だ。平川氏はさらに踏み込んだ。「フランス語でモーパッサンを教えながら、ラフカディオ・ハーンによるその英訳もあわせて教えたりした。ハーンの『怪談』の英文は学生に喜ばれる。彼が依拠した日本の物語も一緒に読むと視野がおのずと開ける」西洋語も東洋文化も同時に学ぶ一挙両得の〝平川方式〟である。

教育が古典を敬遠して、やがて日本語から文章語と詩が欠落した。それが今、翻訳の置かれている言語環境だが、翻訳は原作《テキスト》と等価交換が建前だから、さらぬだに不自由な現場はなおのこと思うに任せない。日本語はどの語族とも類縁関係のない特殊な言葉であるために、いつの時代も異文化と接する界面にきっと翻訳を必要とした。その事情から多様な表現を探り、語彙《ごい》を増やしてきたことを忘れると日本語は舌足らずにならざるを得まい。用法を誤らない限り、どんな言葉だろうとおおっぴらに使えばいい。先に土井晩翠のくだりで触れたヘーゲルの一言「優秀のものを自国語で読めぬなら、その民族は野蛮であり、優秀のものをわがものと眺めることができぬ」を思い出せばわかりきった話だ。原文が何語であれ、対等に切り結ぶだけの日本語を書いてはじめて翻訳は機能する。便法も近道もそこにはない。読書百遍、ひたすら作者の声に耳を傾けるまでだ。その意味で、翻訳の仕事は辞書を引くことにはじまって、あらかたは調べものである。実際、年が年中、字引と取っ組み合っている。以前はものを教わりに、あちこちへ足を運んだりもした。アメリカ文化センターやブリティッシュ・カウンシルはもちろん、各国大使館の広報部や、業界団体の窓口などは頼りになる情報源で、それぞれの立場で事情に通じている相手からじかに話を聞けるのがありがたかった。近頃は調べもので出歩くことがめっきり稀《まれ》になっている。たいていの問題はインターネットで方がつくためで、今さらどうこういう話ではない。ただ、ここにまた無邪気に喜んでばかりはいられない傾向が定着しつつある。インターネット万能の信仰である。つい先だってもさる著名な翻訳家が新聞の学芸欄に寄せた一文を見かけたが、インターネットの普及でありとあらゆる情報がいながらにして接近自在となった今日、調べものに時間と労力を費やすのは愚の骨頂で、コンピュータさえ使いこなせば翻訳なんぞは誰にでもできるという趣旨だった。果たしてそうか。これは事実関係の追跡、検証が翻訳のすべてだと断ずるに等しく、おいそれとは承服しかねる説である。なるほど、昔にくらべて調べものは楽になったかもしれないが、手抜きが許されないことに変わりはない。ウェブサイトで安易に情報検索するだけで能事畢《おわ》れりとはいかないのが翻訳だ。小説における人物造形や、文体の書き分けなど、先に述べた演技・演奏の領域にかかわる技巧もある。そうしたことを度外視して、コンピュータがあれば誰でもできるといってしまっては元も子もないではないか。いや、考えてみればこの発言にはもう一つ奥がある。世の中はこの先ますますインターネットに依存するだろうし、機械翻訳の水準も高度に達するに違いない。だとしても、というより、だからこそコンピュータの守備範囲にはない文章表現の微妙な陰翳《いんえい》は生身の書き手を待つ道理である。翻訳なんぞ誰だってできるというのはインターネット万能の信仰が広まって世の中がのっぺらぼうになることを戒めた逆説と解釈するのが筋だろう。それで思い出すのがクリフォード・ストールの『インターネットはからっぽの洞窟』だ。著者はアメリカの天体物理学者で、ローレンス・バークレー研究所のシステム管理者を勤めた一九〇〇年代の末に、同研究所のコンピュータを足場に国防総省や中央情報局、さらには各地の軍事システムに侵入してデータを読み漁《あさ》っていたハッカー集団を追跡し、その体験を綴《つづ》った『カッコウはコンピュータに卵を産む』で一躍世界に名を馳《は》せた異才である。このハッカー事件は日本の新聞も大きく取り上げたし、『カッコウ〜』は草思社から邦訳が出て評判をとったから、ご記憶の読者も少なくないことと思う。そのクリフ・ストールがネット社会で情報の波に翻弄されないための用心を語ったのが『からっぽの洞窟』である。自身、コンピュータに精通している著者はインターネットを批判する立場でこれを書きはしなかった。存分に使って手なずければ有用に違いないインターネットだが、迂闊《うかつ》にのめり込むと害があることをクリフ・ストールは警告したのである。初出は一九九六年で、日本はまだようようネット時代のとば口に立ったところだったろう。あれから二十年近くが過ぎて日進月歩の情報通信技術はすっかり様変わりしているから、クリフ・ストールの論じたことがすべてそのまま通用するとは限らないが、そこを差し引いてもなお『からっぽの洞窟』の予言は多くの場面で的中したといえる。例えば、インターネットの情報量は厖大《ぼうだい》だから、人は意思決定に先立って無限に広い選択の幅を与えられる期待を抱いた。ところが、豈図《あにはか》らんや、氾濫する情報を前に人は立ち往生するありさまで、選択どころではない。むしろ選択の幅は狭くなっているのが現状だ。何ごとによらず、世間の関心は突出したところへ集まって、そこばかりがますます脚光を浴びることの繰り返しである。情報の洪水に見舞われてわれを忘れ、判断を放棄すれば思考は停止する。対話を促すはずのネットが、その実、人間を疎外するのはこのためだ。表現の自由をふりかざしてみんなが好き勝手をいうばかりでは談論風発など望むべくもない。いずれもクリフ・ストールが指摘していることだが、ネット上では極めて過激な発言も稀《まれ》ではない。投稿するからには人を悪くいわなくてはと、やけに高ぶったお山の大将もいる。読書感想で、作品に馴染《なじ》めないのはすべて書き手のせいだとばかり、頭ごなしに著者訳者を罵る類いである。だが、何のことはない。その種の発言者は申し合わせたように自分の無知無理解を棚に上げているのみか、同じ作品を正当に評価している多数の読者をも虚仮《こけ》にしていることに気づいていないから見苦しい。匿名の罪というべきか。いやはや、翻訳の言語環境からはじまってずいぶん話が飛躍したが、インターネットの利益《りやく》は重々承知の上である。

人のふり見て

ことのついでに古いところで、雑誌〈面白半分〉に触れておこう。一九七二年創刊のこの雑誌は吉行淳之介を筆頭に当代の人気作家が輪番で編集長を勤め、〝面白くてタメにならない〟を看板に八〇年まで続いたが、何かと意表の企画が世上を賑《にぎ》わすところが異色だった。永井荷風の幻の作とされていた『四畳半襖《ふすま》の下張り』の裁判沙汰などはその最たる一件だろう。それはさておき、〈面白半分〉には新刊の翻訳書を解剖する連載コラム「迷訳鑑賞」があって評者はミステリ小説史の生き証人と異名を取る翻訳家の田中潤二氏だった。見出しからもわかるとおり誤訳の指摘が中心の戯評だが、睨《にら》みがきくとはこれだなと、少なからぬ読者が膝をたたいたことと思う。現にこのコラムで槍玉《やりだま》に上げられて降板のやむなきにいたった翻訳者もいたほどだ。まだ駆け出しの分際で、明日はわが身、悪くすれば命取りだろうから、〈面白半分〉が本屋に並べば立ち読みして、密かに胸を撫でおろすのが毎度のことだった。

それも今は昔で、記憶はおおかた霞《かす》んでいるが、このコラムには批評における方法の実験とでもいうべきものがあったと思う。誤訳を入り口として、行き着く先に文章論が覗《のぞ》いていたからだ。冒頭でも述べたように、読者はどこまでも自由であって何をどう受け取るかは人それぞれである。文章を査定する万能の尺度はない。にもかかわらず、良い文章と悪い文章があるのは歴然たる事実で、世に文章読本の類いが溢《あふ》れている理由もそれにつきる。ならばその種の本を読めば文章が上達するかというと、これまた何の保証もない。翻って、悪文の瑕疵《かし》は具体的、かつ客観的に記述できる。文章の目利きとして多くの新人を発掘したことで知られるアメリカの著作権代理人、ノア・リュークマンは『プロになるための文章術』でいっている。「何が悪文かを知って、これを避けるだけで文章はかなりの水準に達する。どのように書くべきかの論は取り下げて、これだけは避けるべき負の要因を正確に知ることが悪文を排する早道だ」。つまりは禁則の発想である。〈面白半分〉が連載コラム迷訳鑑賞でやって見せたのがまさにこれだった。誤訳の指摘という明快な体裁を取りながら、巧まずして「文章不可《べからず》集」を開陳したところはお手柄である。

同じ意味で上智大学・別宮貞徳教授の『誤訳　迷訳　欠陥翻訳』も大きな反響を呼んだ。折々のベストセラーが軒並み俎上《そじょう》に載せられて世間の喝采を博したが、標的のほとんどはビジネス書で、文芸畑の職業訳者が流れ弾を食らうことは滅多になかったように記憶している。

そうこうするところへ、古賀正義氏の『推理小説の誤訳』が登場した。サイマル出版会、一九八三年の刊行である。古賀氏は現役の弁護士で、英文学にも造詣が深く、詩誌「歴程」同人という本格の文芸家とあって同書が出版界に与えた衝撃は生易しいものではなかった。イギリスの著名刑事事件の法廷記録が翻訳出版されるにあたり、法曹人の立場で監修を担当したことから古賀氏は「推理小説では法律用語をどの程度正確に訳しているのだろうか」と関心を抱き、厖大《ぼうだい》な量の訳書を原書と読みくらべた。その結果、法律用語ばかりか地の文にも多々間違いがあることを憂い、思いあまって苦言を呈したのがこの本である。「英国ではチョーサーやシェイクスピア以来、法と文学との交渉がきわめて密接である。英国人の法意識などを考えるうえで、英文学に親しむことは必須の条件なので、法律を職業に選んでからも英文学に対する興味と関心を捨てたことはなかった。たまたま、従来なじみの薄かった推理小説を大量に読む機会を得て、多年にわたる英文学趣味が、このような思わざる形で実を結んだことに、われながら驚いている」と序文にある。巻中の指摘はどれもみな「斧正《ふせい》」であって、いささかたりとも反論の余地はない。名指しでたたかれた翻訳者たちは顔色を失った。

しかし、ものは考えようである。誰だろうと、はじめから誤りを承知で翻訳をするはずがない。不幸にして人目に触れてしまった間違いが心ある指摘を得て正されるなら、せめてもの救いではないか。古賀氏にしたところで、人の不始末をあげつらう態度ではなかった。それが証拠に「すぐれた訳者については、繰り返し称賛」しているではないか。これも前に言ったことで、書いたものがひとたび世間の目にさらされたら、筆者は首を洗って待つしかない。好意の直言には謙虚に耳を傾けるべきなのだ。

が、それはそれとして、ちょっと気がかりなことがある。誤訳が生じたとなれば誰よりも訳者の責任が大きいことはいうまでもないけれど、一冊の本が出来上がるまでには編集者や校閲や、複数の人間が原稿に目を通しているはずだ。それなのに、間違いがそのまま活字になってしまうとは、はてさてどうしたものだろう。家電製品や自動車ならリコール騒ぎとなっても不思議はないような、由々しい誤訳だって時にはある。編集者は責任を問われずには済まない。文章の欠陥をただ訳者だけのせいにするのではなく、大きくいえば、そうした問題が起きる出版土壌を考え直す必要もあろうではないか。

一口に誤訳といっても、ほんのかすり傷程度から手のほどこしようもない致命傷にいたるまで、その形はさまざまだ。些細な読み違えもあれば、文体の選択や人物造形の不適もある。創造的な誤解とやらはあまり褒められたものではない。それやこれやをひっくるめて不用意な議論は禁物である。世間が誤訳の指摘を歓迎するのは、自分は傷つかない外野の立場から他人が攻撃されるのを見て楽しむ心理だろう。誤訳のない翻訳はないとよくいわれるが、だから誤訳を犯していいことにはならない。要は現場の心得だ。

砂丘の風紋

翻訳の現場からあれこれ思い当たるままを書くうちに、かつて何度か訪ねたことのある砂丘の景色が記憶に浮かんだ。

グレコの絵を思わせる雲の絶え間から日の光が幾条か降っている。引き潮の海は鈍色《にびいろ》にくすんでかなり荒れているが、波音は風に呑まれて不思議に遠くくぐもっている。砂丘は日向の金茶と日陰の暗灰色に染め分けられ、その境い目は雲の動きにつれて刻々にところを移す。

砂の上を砂が走る。頬をなぶる風はただ海から吹きつけてくるばかりだが、砂の動くさまをじっと見ていると、風向きは砂丘の地形によって複雑に変化することがわかる。あるところでは、砂は早瀬のように流れ、またあるところでは渦を巻いている。目の前で風紋の波形は徐々に姿を変え、少しずつ移動していく。風の強い時は一夜にして砂丘の貌《かたち》ががらりと変わることもあるという。そうでなくても砂丘は日ごとに眺めが違うそうである。風が砂丘を変え、砂丘が風を変えるのだ。広い砂丘の表面は常に砂が走っているために、あたりの景色は散光フィルターをかけた映像を見るようである。砂はそれ自体、岩石が崩壊した微細な粒だが、その堆積である砂丘や砂州は全体として液体の性質を帯びて流動するとも聞いた。

思うに、人間の集団も流体の相をなす砂の堆積に似たものではあるまいか。手に掬ってみれば砂は石ころの小さな砕片にすぎない。指の間からこぼれ落ちる砂粒の一つ一つにさしたる秘密が隠されているわけでもない。その変哲もない砂粒が大きな量《マス》を作り、そこに風の力が加わると、たちまち砂丘はあたかも意思あるもののごとくに動きだす。砂は絶えず流れ、渦巻きながら風紋を描き、砂丘は日に日に姿を変えつつも、歴史の中に不動の位置を占めて一つところに留まっている。世にいう文化とは、ちょうどこれと同じではないか。翻訳は文化の砂丘に生じては消える風紋である。刹那《せつな》の印象か、記憶の原風景か、それは人によりけりだ。だとしても、混淆《こんこう》文化は日本のお家芸だから、翻訳職人はまだまだ忙しい。いいではないか。何でも来いだ。

あとがき

そもそもこの小文がこれまでをふり返ったあとがきで、頁を改めるほどのことはないのだが、本はあとがきから開くものと決めている読者も少なくないとすれば、閑文《かんも》字《じ》も体裁のうちだろう。

いつぞや、某雑誌から「翻訳で食えるか?」というインタヴュウを受けて面食らったことがある。苟《いやしく》も職業訳者の看板を掲げている人間を捕まえてどこを押したらこんな質問が出るのかと首を傾《かし》げざるを得なかったが、どうやらこっちの思い過ごしで、取材の趣意は翻訳家志望の若い人たちにいくらかなりと仕事の実際を紹介することにあるらしかった。だとしたら、翻訳で食えるかではなしに、食える翻訳をするかどうかの話だろう、と答えたのを憶えている。翻訳は肉体労働だとも言った。一晩で読める小説を二月も三月もかけて訳すとなれば、何はなくともまず体力ということだ。幸い、故障のないように生まれついたと見えて長持ちしている。まだ当分は大丈夫だろう。高齢者の定期健診とやらがあって、はじめての話だから検査を受けたが、ほとんど異状が見られないことに医者は不満顔だった。以後、診断はご免こうむっている。

文中に述べたことのくり返しながら、どの語族とも類縁関係のない日本語の風景にふと惹かれたのがきっかけでこの道に入った。すでに文語はあらかた消え失せて、おまけに日常の口語までが急激に変化しはじめた頃だった。言葉が世につれて変わることに何の不思議もないのだが、あまりに急な変化は意思の疎通を妨げて世代間に断絶を来す。変化はどの国の言葉にもあるけれど、日本語にくらべて緩慢なのは古典が生きているためだ。翻訳の現場に身を置いていると、それを強く意識せずには済まない。イギリスの作家ジョージ・ギッシングはシェイクスピアが母国語で読めることをイギリスに生まれてよかったと思う理由の筆頭に挙げている。「どの国にも、国民文学を代表する詩人がいていいはずだ。詩人、すなわち国であり、その国に固有の崇高な文化の香りを体現する存在でもあって、つまりは幾世代にもわたって人々が築き上げた国民性という無形遺産のすべてである」

これは山本夏彦の言う「祖国とは国語である」と同じだろう。その著『完本　文語文』は、日本語が古典を失って見る影もないまで荒廃した事情を簡明に語っている。「明治大正は新旧の思想風俗言語が衝突して、新が旧に勝った時代である。戦前早く漢字の知識は減りつつあったが、戦後それは限りなく無に近くなった。いま国語は片カナ語に占領されつつある。このままでは、いまに国語は「てにをは」を残すのみになる、すでになりつつある」……

古典の規範があって変化の緩慢な英語と、古典と漢字を嫌って退化している日本語を等価交換するのが職人の役割と心得てずっとやってきた。この先も、宗旨を変えるつもりはない。一木、大廈《たいか》の崩るるを支える能《あた》わずだが、今や絶滅危惧種の翻訳職人にせいぜいできることと言ったらそれだけだ。

河出書房新社、田中優子さんの慫慂《しょうよう》を得て本書は成った。多少とも読者諸賢に届くところがあるようなら望外としなくてはならない。脱稿に至るまで、田中さんにはひとかたならずお世話になった。記して鳴謝する次第である。

二〇一三年寒露

池　央耿

池央耿の全仕事　1971–2023

『最後の谷』Ｊ・Ｂ・ピック、角川文庫、一九七一
『さすらいの旅路』ネヴィル・シュート、角川文庫、一九七一
『幸せをもとめて』トーマス・ロジャース、角川文庫、一九七一
『マフィアの復讐』チャールズ・ダービン、角川文庫、一九七二
『ビートルズ』ジュリアス・ファスト、角川文庫、一九七二
『キャンベル渓谷の激闘』ハモンド・イネス、ハヤカワ文庫、一九七二
『スミスのかもしか』ライオネル・デイヴィドソン、角川書店《海外ベストセラー・シリーズ》、一九七二
『麻薬シンジケート　〈白い恐怖〉の報告書』アルビン・モスコウ、日本リーダーズダイジェスト社《ペガサスドキュメント》、一九七二
『怒りの山』ハモンド・イネス、早川書房《ハヤカワ・ノヴェルズ》、一九七二→ハヤカワ文庫NV、一九七九
『ゲシュタポ・ファイル　秘密情報部員ＪＦ』デズモンド・コーリー、日本リーダーズダイジェスト社《ペガサスノベルズ》、一九七二
『マフィアへの挑戦　死刑執行人シリーズ』全二〇巻、ドン・ペンドルトン、高見浩共訳、創元推理文庫、一九七三-八五　＊翻訳は巻によって池と高見がほぼ交互に行ない、池訳は１・３・５・

7・9・11・12・15・17・19巻、残る十巻が高見訳。タイトルは15巻より「死刑執行人シリーズ」が外されて副題がつき（副題は15巻より順に「月曜日：還ってきた戦士」「火曜日：憂い顔の騎士」「水曜日：謀略のシナリオ」「木曜日：悪魔の要塞島」「金曜日：禿鷲の饗宴」「土曜日：戦士よ永遠に」）、のちに1〜14巻も同様の体裁に改題。
『孤独なスキーヤー』ハモンド・イネス、ハヤカワ文庫NV、一九七三
『ナンバーのない男 国際殺人局K』ジェイムズ・マンロー、早川書房《ハヤカワ・ノヴェルズ》、一九七三
『ボブ・ディラン』サイ・リバコブ、バーバラ・リバコブ、角川文庫、一九七四
『屠殺人／血の負債』スチュアート・ジェイスン、早川書房《世界ミステリシリーズ》、一九七四
『みどりの谷』上下、ベン・ハース、角川文庫、一九七四
『帝王 ビッグマフィア』オビッド・デマリス、立風書房、一九七四
『人狼部隊』イブ・メルキオー、角川書店、一九七四
『リンガラ・コード』ウォーレン・キーファー、角川書店、一九七四→角川文庫、一九八六
『兵士の鷹』ジェラルド・サマーズ、角川文庫、一九七五
『完全なる敗北 北極点をめぐる栄光と汚辱』ヒュウ・イームズ、文化放送、一九七五
『コンドルの六日間』ジェームズ・グレイディ、新潮社、一九七五
『ゴールド』ウイルバー・スミス、立風書房、一九七五
『バードは生きている チャーリー・パーカーの栄光と苦難』ロス・ラッセル、草思社、一九七五→新装版、一九八五
『すねた娘』E・S・ガードナー、創元推理文庫、一九七六

『1979年の大破局』ポール・E・アードマン、ごま書房《ゴマノベルス》、一九七六→単行本、一九七八
『キュラソー島から来た女』J・ヴァン・デ・ウェテリンク、ごま書房《ゴマノベルス》、一九七六
『幻の金鉱』ハモンド・イネス、早川書房《ハヤカワ・ノヴェルズ》、一九七六
『黒後家蜘蛛の会』全五巻、アイザック・アシモフ、創元推理文庫、一九七六‐一九九〇→新版、二〇一八
『ビートルズ派手にやれ！　無名時代』アラン・ウィリアムズ、ウィリアム・マーシャル、草思社、一九七六→新装版（改題『ビートルズはこうして誕生した』）、一九八七
『ガードナー傑作集』E・S・ガードナー、各務三郎編、番町書房《イフ・ノベルズ》、一九七七→講談社文庫（改題『ガードナー　怪盗と接吻と女たち』）、一九七九
『ルイスとクラーク　北米大陸の横断』デイヴィッド・ホロウェイ、草思社《大探検家シリーズ》、一九七七
『カルロスを追え！　テロ・インターナショナル』デニス・アイゼンバーグ、エリ・ランダウ、角川書店、一九七七
『正午から三時まで』フランク・D・ギルロイ、徳間書店、一九七七
『怯えた相続人』E・S・ガードナー、創元推理文庫、一九七七
『我輩はカモである』ドナルド・E・ウエストレーク、角川書店《海外ベストセラー・シリーズ》、一九七七→ハヤカワ文庫　ミステリアス・プレス文庫、一九九五→ハヤカワ・ミステリ文庫、二〇〇五
『恐怖のハイウェイ』サンディ・フォークス、パシフィカ、一九七八

『神の目の小さな塵』上下、L・ニーヴン、J・パーネル、創元SF文庫、一九七八
『スリーパー・エージェント』イブ・メルキオー、角川書店、一九七八
『獅子の怒り』ジャック・ヒギンズ、パシフィカ《海洋冒険小説シリーズ》、一九七八→創元推理文庫、一九八六
『聖者の行進』アイザック・アシモフ、創元SF文庫、一九七九
『ウィンブルドン』ラッセル・ブラッドン、新潮社、一九七九→新潮文庫、一九八二→創元推理文庫、二〇一四
『北海の星』ハモンド・イネス、ハヤカワ文庫NV、一九七九
『雲の死角』J・コルトレーン、文春文庫、一九七九
『オイルクラッシュ』ポール・アードマン、新潮文庫、一九七九
『キャプテン・クック最後の航海』ハモンド・イネス、パシフィカ《海洋冒険小説シリーズ》、一九七九→創元推理文庫、一九八六
『カエサレアのパピルス』ウォーレン・キーファー、角川書店、一九七九
『思考機械の事件簿II』ジャック・フットレル、創元推理文庫、一九七九
『星を継ぐもの』ジェイムズ・P・ホーガン、創元SF文庫、一九八〇→新版、二〇二三
『死を招く配当』ロバート・アプトン、文春文庫、一九八〇
『ハイガーロッホ破壊指令』イブ・メルキオー、角川書店、一九八〇
『魔性の子』ロジャー・ゼラズニイ、東京創元社《イラストレイテッドSF》、一九八一→創元推理文庫、一九八五
『オカルト趣味の娼婦』J・ヴァン・デ・ウェテリンク、創元推理文庫、一九八一

『ガニメデの優しい巨人』ジェイムズ・P・ホーガン、創元SF文庫、一九八一→新版、二〇二三
『アムステルダムの異邦人』J・ヴァン・デ・ウェテリンク、創元推理文庫、一九八一
『北アイルランドの襲撃者たち』アンブローズ・クランシー、新潮社、一九八一
『センテニアル』ジェイムズ・ミッチェナー、河出書房新社、一九八二
『謀略結社マトリックス』フランク・ロス、ハヤカワ文庫NV、一九八二
『1985年の大逆転』ポール・アードマン、講談社、一九八二
『スパイよさらば』ジャック・ウィンチェスター、文春文庫、一九八二
『E.T.』ウィリアム・コッツウィンクル、新潮文庫、一九八二→ヴィレッジブックス、二〇〇二
『巨人たちの星』ジェイムズ・P・ホーガン、創元SF文庫、一九八三→新版、二〇二三
『ソロモンの怒濤』ハモンド・イネス、ハヤカワ文庫NV、一九八三
『追憶のブルックリン』アーサー・キャヴァノー、角川書店、一九八三
『亡霊たちの真昼』ディクスン・カー、創元SF文庫、一九八三
『アメリカ最期の日』ポール・アードマン、講談社文庫、一九八三
『黒海奇襲作戦』ダグラス・リーマン、ハヤカワ文庫NV、一九八四
『雲の峰　鮭の川』ブルース・ブラウン、新潮社、一九八四
『ディーケンの戦い』ブライアン・フリーマントル、新潮文庫、一九八四
『テクノストレス』クレイグ・ブロード、高見浩共訳、新潮社、一九八四
『外道の市』ロジャー・ゼラズニイ、創元推理文庫、一九八五
『クリスマス12のミステリー』アイザック・アシモフ他編、新潮文庫、一九八五
『誘拐者』ウォーレン・キーファー、角川書店《海外ベストセラー・シリーズ》、一九八五

『コンタクト』上下、カール・セーガン、高見浩共訳、新潮社、一九八六→新潮文庫、一九八九
『灯蛾の落ちる時』ハロルド・アダムズ、創元推理文庫、一九八七
『大道商人の死』J・ヴァン・デ・ウェテリンク、創元推理文庫、一九八七
『ある大家族の歴史 アメリカ市民の社会史』ジョン・エジャートン、草思社、一九八七
『ベルリン空輸回廊』ハモンド・イネス、徳間文庫、一九八七
『〈B-B枢軸〉極秘ルート』イブ・メルキオー、角川文庫、一九八七
『「エスクァイア」アメリカの歴史を変えた50人』下、「エスクァイア」編集部編、常盤新平監修、共訳、新潮社、一九八八
『象牙の塔の殺人』アイザック・アシモフ、創元推理文庫、一九八八
『赤い報酬』ハロルド・アダムズ、創元推理文庫、一九八八
『クリスマス13の戦慄』アイザック・アシモフ他編、新潮文庫、一九八八
『黒い海流』ハモンド・イネス、ハヤカワ文庫NV、一九八八
『ヴェール CIAの極秘戦略1981-1987』上下、ボブ・ウッドワード、文藝春秋、一九八八
『空白の記録 孤児救出作戦の真相を知った男』ブライアン・フリーマントル、新潮文庫、一九八八
『地底のエルドラド』ウィルバー・スミス、創元推理文庫、一九八八
『ユニオン・クラブ綺談』アイザック・アシモフ、創元推理文庫、一九八九
『スパイよさらば』ブライアン・フリーマントル、新潮文庫、一九八九
『人生に必要な知恵はすべて幼稚園の砂場で学んだ』ロバート・フルガム、河出書房新社、一九九〇→河出文庫、一九九六
『アフガンの「百合」』上下、ジョン・クルーズ、光文社文庫、一九九〇

『クレムリン・キス』ブライアン・フリーマントル、新潮文庫、一九九〇
『カッコウはコンピュータに卵を産む』上下、クリフォード・ストール、草思社、一九九一→草思社文庫、二〇一七
『ソヴィエト社会衝撃の闇』ヴィターリ・ヴィターリエフ、新潮社、一九九一
『暗黒の塔《ダーク・タワー》Ⅰ　ガンスリンガー』スティーヴン・キング、角川書店、一九九二→角川文庫、一九九八
『特命艦メデューサ』ハモンド・イネス、ハヤカワ文庫NV、一九九二
『内なる宇宙』上下、ジェイムズ・P・ホーガン、東京創元社、一九九三→創元SF文庫、一九九七→新版、二〇二三
『南仏プロヴァンスの12か月』ピーター・メイル、河出書房新社、一九九三→河出文庫、一九九六
『マイライフ』アービン〝マジック〟ジョンソン、ウィリアム・ノヴァク、光文社、一九九三
『南仏プロヴァンスの風景』ピーター・メイル、河出書房新社、一九九四
『ホテル・パスティス』上下、ピーター・メイル、河出書房新社、一九九四→河出文庫、一九九六
『凶弾』ジェイムズ・グレイディ、新潮文庫、一九九四
『愛犬ボーイの生活と意見』ピーター・メイル、河出書房新社、一九九五→河出文庫、一九九七
『ファイナル・アプローチ』上下、ジョン・J・ナンス、ハヤカワ文庫NV、一九九五
『暗黒の塔《ダーク・タワー》Ⅱ　ザ・スリー』スティーヴン・キング、角川書店、一九九六→角川文庫、一九九九
『南仏のトリュフをめぐる大冒険』ピーター・メイル、河出書房新社、一九九七→河出文庫、一九九八
『マッツボックリが笑う日』ダニエル・ブライヤン、翔泳社、一九九八
『セザンヌを探せ』ピーター・メイル、河出書房新社、一九九八

『暗黒の河』ジェイムズ・グレイディ、新潮文庫、一九九八
『鳥たちが聞いている』バリー・ロペス、神保睦共訳、角川書店、一九九八
『義憤の終焉 ビル・クリントンと踏みにじられたアメリカの理念』ウイリアム・J・ベネット、草思社、一九九九
『伯爵夫人の宝石』ヘンリー・スレッサー、宮脇孝雄共訳、光文社文庫《英米短編ミステリー名人選集》、一九九九
『閉鎖病棟』パトリック・マグラア、河出書房新社、一九九九
『どうして僕はこんなところに』ブルース・チャトウィン、神保睦共訳、角川書店、一九九九→角川文庫、二〇一二
『鱈 世界を変えた魚の歴史』マーク・カーランスキー、飛鳥新社、一九九九
『旅を書く ベスト・トラベル・エッセイ』監訳、河出書房新社、二〇〇〇
『アナム・カラ ケルトの知恵』ジョン・オドノヒュウ、角川書店《角川21世紀叢書》、二〇〇〇
『南仏プロヴァンスの昼下り』ピーター・メイル、河出書房新社、二〇〇〇→河出文庫（改題『南仏プロヴァンスの昼さがり』）、二〇〇七
『スティーヴン・キング小説作法』スティーヴン・キング、アーティストハウス、二〇〇一
『プロになるための文章術 なぜ没なのか』ノア・リュークマン、河出書房新社、二〇〇一
『どうぞ、召しあがれ！ フランスの食祭りの旅』ピーター・メイル、河出書房新社、二〇〇二
『父の道具箱』ケニー・ケンプ、角川書店、二〇〇二
『アバラット』クライヴ・バーカー、ソニー・マガジンズ、二〇〇二→ヴィレッジブックス、二〇〇五

『パイド・パイパー　自由への越境』ネビル・シュート、創元推理文庫、二〇〇二　＊『さすらいの旅路』（一九七二）の改訳・改題版。
『新・人生に必要な知恵はすべて幼稚園の砂場で学んだ』ロバート・フルガム、河出書房新社、二〇〇四 → 河出文庫（改題『人生に必要な知恵はすべて幼稚園の砂場で学んだ 決定版』）、二〇一六
『ガーネット傑作集Ⅰ　狐になった人妻／動物園に入った男』デイヴィッド・ガーネット、河出書房新社、二〇〇四
『アバラット2』クライヴ・バーカー、ソニー・マガジンズ、二〇〇四
『エデンの彼方　狩猟採集民・農耕民・人類の歴史』ヒュー・ブロディ、草思社、二〇〇四
『ガーネット傑作集Ⅲ　水夫の帰郷』デイヴィッド・ガーネット、河出書房新社、二〇〇五
『ぴよぴよひよこ』ジョン・ローレンス、評論社《児童図書館・絵本の部屋》、二〇〇五
『われわれは犬である　犬の目から見たこの素晴らしき世界』テリー・ベイン、アスペクト、二〇〇五
『ガーネット傑作集Ⅳ　ビーニー・アイ』デイヴィッド・ガーネット、河出書房新社、二〇〇六
『ガーネット傑作集Ⅴ　イナゴの大移動』デイヴィッド・ガーネット、河出書房新社、二〇〇六
『キーパー』マル・ピート、評論社、二〇〇六
『シイイイッ！』ジーン・ウィリス、評論社《児童図書館・絵本の部屋》、二〇〇六
『クリスマス・キャロル』チャールズ・ディケンズ、光文社古典新訳文庫、二〇〇六
『フェイスフル・スパイ』アレックス・ベレンスン、小学館、二〇〇七 → 小学館文庫、二〇〇九
『ベイカー少年探偵団1　消えた名探偵』アンソニー・リード、評論社《児童図書館・文学の部屋》、二〇〇七
『ベイカー少年探偵団2　さらわれた千里眼』アンソニー・リード、評論社《児童図書館・文学の部

屋》、二〇〇七
『ベイカー少年探偵団3　呪われたルビー』アンソニー・リード、評論社《児童図書館・文学の部屋》、二〇〇八
『ベイカー少年探偵団4　ドラゴンを追え！』アンソニー・リード、評論社《児童図書館・文学の部屋》、二〇〇八
『いったいぜんたい、どうしてこんなことをしてきたのだろうか。』ロバート・フルガム、河出書房新社、二〇〇八
『ベイカー少年探偵団5　盗まれた宝石』アンソニー・リード、評論社《児童図書館・文学の部屋》、二〇〇九
『ベイカー少年探偵団6　地下牢の幽霊』アンソニー・リード、評論社《児童図書館・文学の部屋》、二〇〇九
『わらの犬　地球に君臨する人間』ジョン・グレイ、みすず書房、二〇〇九
『ザ・プロフェット』カリール・ジブラーン、ポプラ社、二〇〇九
『帝国の落日　パックス・ブリタニカ完結篇』下、ジャン・モリス、椋田直子共訳、講談社、二〇一〇
『エステルハージ博士の事件簿』アヴラム・デイヴィッドスン、河出書房新社《ストレンジ・フィクション》、二〇一〇
『失われた地平線』ジェイムズ・ヒルトン、河出文庫、二〇一一→新装版、二〇二〇
「マークハイム」ロバート・ルイス・スティーヴンスン、『百年文庫36　賭』所収、ポプラ社、二〇一一
『タイムマシン』ハーバート・ジョージ・ウェルズ、光文社古典新訳文庫、二〇一二

『ヘンリー・ライクロフトの私記』ジョージ・ギッシング、光文社古典新訳文庫、二〇一三
『ホーキング、自らを語る』スティーヴン・ホーキング、佐藤勝彦監修、あすなろ書房、二〇一四
『二都物語』上下、チャールズ・ディケンズ、光文社古典新訳文庫、二〇一六
『南仏プロヴァンスの25年　あのころと今』ピーター・メイル、河出書房新社、二〇一九
『指差す標識の事例』上下、イーアン・ペアーズ、東江一紀・宮脇孝雄・日暮雅通共訳、創元推理文庫、二〇二〇
『ブルース・チャトウィン』ニコラス・シェイクスピア、KADOKAWA、二〇二〇

解説

高見浩

一九七一年にネヴィル・シュートの『さすらいの旅路』でデビューして以来、池央耿は日本の翻訳界の最先端を駆け抜けてきた。その間手がけてきた訳書は、エンタテイメントからいわゆる純文学まで多岐にわたるが、その旅路を通して彼なりに抱いてきた翻訳へのさまざまな思いを端正な筆致で綴《つづ》ったのが本書である。

そこに一貫して流れているのは、象牙の塔の高みから論じる高踏的な言辞ではなく、一介の職人として翻訳に取り組んできた者の、矜持《きょうじ》と実感のこもった省察と言っていい。だから万事わかりやすく、すとんと腑に落ちる。

たとえば翻訳の一丁目一番地、翻訳とは何か、という命題については、彼はこう述べている。

翻訳は音楽の演奏と同じで、原作は表現記号のない譜面だと思えばいい。そこからどんな音を引き出してくるかはすべて奏者に任されている。曲の解釈や演奏技巧は人それぞれだから、同じ曲でも奏者によって響きが違う。指揮者や、演奏家や、歌手の好みが分かれる道理である。

彼と同じく多年この道を歩んできた者としては、まったくその通り、とわが意を得た思い。実は、池央耿とは歳も一つしかちがわず、翻訳の世界に入ったのもほぼ同時期だったので、彼とは数すくない〝戦友〟の一人として親しく付き合ってきた。二人で共訳した作品も何点かあるくらいで、酒を酌み交わした思い出もすくなくない。が、いわゆる〝翻訳論〟を正面切って語り合うことは、お互い何か気恥ずかしくて稀《まれ》だったように思う。その点、この『翻訳万華鏡』では彼の思いが理路整然と語られているため、翻訳家池央耿の真骨頂に触れることができる。そうだよな、と膝を叩きたくなる箇所もあれば、え、そうだったのか、と目から鱗《うろこ》の思いに浸らされる箇所もある。

彼が常々口にする文人の名前でいちばん多かったのは、森鷗外、だっただろう。鷗外に対する敬愛の念は、一緒に飲んでいても、言葉の端々から伝わってきた。この『翻訳万華鏡』でも鷗外に関する一章が立てられている。学生時代に手にとった寶文《ほうぶん》館《かん》の『鷗外小説全集』が傾倒のきっかけだったことに始まって、鷗外の翻訳の本質まで詳述している。その鷗外の文章について、彼はこう締めくくっている。

鷗外の文章は静謐《せいひつ》である。犀利《さいり》である。行文を目で追ってその音韻が耳に心地よい。諧謔は雅を装って外連《けれん》がない。

ふと思うのだ。この評言は池央耿その人の訳文にもそっくり当てはまるのではあるまいか。それだけ鷗外は、彼の血となり肉となっていたのだろう、と再認識させられた。

本書の巻末には、彼がデビューした一九七一年から二〇二三年に至るまでの全訳書リストが付されていて、翻訳家池央耿の業績の全貌を知るのに役立つ。大体の書名は覚えているのだが、『ビートルズ』、『ボブ・ディラン』、『バードは生きている　チャーリー・パーカーの栄光と苦難』、『ビートルズ派手にやれ！　無名時代』と、現代の代表的ミュージシャンにまつわる訳書を四冊ものしていることはすっかり記憶から落ちていて、ちょっと意表を衝かれた思いがした。そういえば、彼は学生時代コーラス部に入っていたことがあって、ある機会にその美声を実際に耳にしたことがある。本書でも、〝二冊のビートルズ伝〟、〝チャーリー・パーカーとアメリカ社会〟の二つの章で、彼ら稀代のミュージシャンたちの世に出た背景からその社会的影響に至るまで、鋭い洞察に基づいた論考を縦横に展開していて読ませるのだ。池央耿の訳業というと、なんとなく硬派のイメージがあるかもしれないが、実は硬軟とりまぜた詩魂が彼の内奥には宿っていて、それなればこそ『E.T.』、『南仏プロヴァンスの12か月』、『クリスマス・キャロル』といった奥の深い訳業を成し得たのだとあらためて納得がゆくのである。

本書に教えられたことは多々あるが、土井晩翠《どいばんすい》に関わることもその一つ。晩翠というと、こちらは浅学の身、あの〝春高楼《はるこうろう》の花の宴――〟の詩人としてしか知らなかったのだが、本書の〝先達の事績〟の章によれば、ホメロスの『イーリアス』を晩翠は訳しているという。しかも、独学で身につけたギリシャ語の原典から訳しているという事実には驚かされた。この先達の事績を教えられたこと一つとっても、池央耿には感謝しなければならない。

本書のあとがきに、池央耿はこう記している――〝翻訳は肉体労働だとも言った。一晩で読める小説を二月も三月もかけて訳すとなれば、何はなくともまず体力ということだ。幸い、故障のないように生まれついたと見えて長持ちしている〟。

それは傍《はた》から見ても感じていたことで、ほぼ半世紀にわたる付き合いを通して、彼はいろいろな意味で強靭《きょうじん》な男だという感触を得ていた。酒に強いのは無論のこと、並みの翻訳者が一週間かけて訳す分量を彼はその半分の日数でこなしていたのではなかろうか――しかも、ほぼ完璧な達意の訳文で。だからこそ、その彼が二〇二三年十月に突然の病いで急逝したという事実を最後に付記しなければならないのは残念でならない。

だが、彼は再読三読に値する多くの訳書に加えて、本書『翻訳万華鏡』を遺してくれた。翻訳の現場で培った数々の実際的な教えは、これから翻訳を目指す人々への恰好なガイドとして役立つだろうし、翻訳の枠を超えて、日本語論、日本文化論の深みに達している透徹した知見の数々は、すでに翻訳を業《ごう》としている人々にとっても大いなる刺激と励ましになるにちがいない。

ChatGPT 等、ＡＩの波がさまざまな領域に及ぼうとしている今日、本書は、人間の魂による翻訳の牙城がまだまだ揺るぎないことを雄弁に証しているのではなかろうか。

（たかみ・ひろし／翻訳家）

本書は二〇一三年一二月、河出書房新社より
書き下ろし単行本として刊行されました。

翻訳万華鏡《ほんやくまんげきょう》

二〇二四年 一 月一〇日 初版印刷
二〇二四年 一 月二〇日 初版発行

著 者 池央耿《いけひろあき》
発行者 小野寺優
発行所 株式会社河出書房新社
〒一五一―〇〇五一
東京都渋谷区千駄ヶ谷二―三二―二
電話〇三―三四〇四―八六一一（編集）
〇三―三四〇四―一二〇一（営業）
https://www.kawade.co.jp/

ロゴ・表紙デザイン 粟津潔
本文フォーマット 佐々木暁
本文組版 KAWADE DTP WORKS
印刷・製本 中央精版印刷株式会社

Printed in Japan ISBN978-4-309-42079-0

失われた地平線

ジェイムズ・ヒルトン　池央耿〔訳〕　46708-5

正体不明の男に乗っ取られた飛行機は、ヒマラヤ山脈のさらに奥地に不時着する。辿り着いた先には不老不死の楽園があったのだが——。世界中で読み継がれる冒険小説の名作が、美しい訳文で待望の復刊！

ウンベルト・エーコの文体練習［完全版］

ウンベルト・エーコ　和田忠彦〔訳〕　46497-8

『薔薇の名前』の著者が、古今東西の小説・評論、映画、歴史的発見、百科全書などを変幻自在に書き換えたパロディ集。〈知の巨人〉の最も遊戯的エッセイ。旧版を大幅増補の完全版。

小説の読み方、書き方、訳し方

柴田元幸／高橋源一郎　41215-3

小説は、読むだけじゃもったいない。読んで、書いて、訳してみれば、百倍楽しめる！　文豪と人気翻訳者が〈読む＝書く＝訳す〉ための実践的メソッドを解説した、究極の小説入門。

読者はどこにいるのか

石原千秋　41829-2

文章が読まれているとき、そこでは何が起こっているのか。「内面の共同体」というオリジナルの視点も導入しながら、読む／書くという営為の奥深く豊潤な世界へと読者をいざなう。

本を読むということ

永江朗　41421-8

探さなくていい、バラバラにしていい、忘れていい、歯磨きしながら読んでもいい……本読みのプロが、本とうまく付き合い、手なずけるコツを大公開。すべての本好きとその予備軍に送る「本・入門」。

小説の聖典《バイブル》　漫談で読む文学入門

いとうせいこう×奥泉光＋渡部直己　41186-6

読んでもおもしろい、書いてもおもしろい。不思議な小説の魅力を作家二人が漫談スタイルでボケてツッコむ！　笑って泣いて、読んで書いて。そこに小説がある限り……。

藤子不二雄論

米沢嘉博　41282-5

「ドラえもん」「怪物くん」ほか多くの名作を生み出した「二人で一人のマンガ家」は八七年末にコンビを解消、新たなまんが道を歩み始める。この二つの才能の秘密を解き明かす、唯一の本格的藤子論。

漫画超進化論

石ノ森章太郎　41679-3

石ノ森がホスト役となって、小池一夫、藤子不二雄Ａ、さいとう・たかを、手塚治虫という超豪華メンバーとともに語り合った対談集。昭和の終わりに巨匠たちは漫画の未来をどう見ていたのか？

ぼくの宝物絵本

穂村弘　41535-2

忘れていた懐かしい絵本や未知の輝きをもった絵本に出会い、買って買って買いまくるのは夢のように楽しい……戦前のレトロな絵本から最新絵本まで、名作絵本の魅力を紹介。オールカラー図版満載。

これから泳ぎにいきませんか

穂村弘　41826-1

ミステリ、ＳＦ、恋愛小説から漫画、歌集、絵本まで、目利きの読書家が紹介する本当に面白い本の数々。読んだ後では目に映る世界が変わる、魅惑の読書体験が待っています。

きっとあの人は眠っているんだよ

穂村弘　41810-0

本屋をめぐり、古本屋をのぞき、頁をめくって世界と出会う本の日々。「週刊文春」に好評連載された読書日記。「今日買ったこの本は、悪魔的にロマンティックじゃないか」。

SFにさよならをいう方法

飛浩隆　41856-8

名作SF論から作家論、書評、エッセイ、自作を語る、対談、インタビュー、帯推薦文まで、日本SF大賞二冠作家・飛浩隆の貴重な非小説作品を網羅。単行本未収録作品も多数収録。

ツイッター哲学

千葉雅也　41778-3

ニーチェの言葉か、漫画のコマか？　日々の気づきからセクシュアリティ、社会問題までを捉えた、たった140字の「有限性の哲学」。新たなツイートを加え、著者自ら再編集した決定版。松岡正剛氏絶賛！

動きすぎてはいけない

千葉雅也　41562-8

全生活をインターネットが覆い、我々は窒息しかけている——接続過剰の世界に風穴を開ける「切断の哲学」。異例の哲学書ベストセラーを文庫化！　併録＊千葉＝ドゥルーズ思想読解の手引き

ゆるく考える

東浩紀　41811-7

若いころのぼくに言いたい、人生の選択肢は無限である、と。世の中を少しでもよい方向に変えるために、ゆるく、ラジカルにゆるく考えよう。「ゲンロン」を生み出した東浩紀のエッセイ集。

ことばと創造　鶴見俊輔コレクション4

鶴見俊輔　黒川創〔編〕　41253-5

漫画、映画、漫才、落語……あらゆるジャンルをわけへだてなく見つめつづけてきた思想家・鶴見は日本における文化批評の先駆にして源泉だった。その藝術と思想をめぐる重要な文章をよりすぐった最終巻。

演劇とその分身

アントナン・アルトー　鈴木創士〔訳〕　46700-9

「残酷演劇」を宣言して20世紀演劇を変え、いまだに震源となっている歴史的名著がついに新訳。身体のアナーキーからすべてを問い直し、あらゆる領域に巨大な影響を与えたアルトーの核心をしめす代表作。

ベンヤミン　メディア・芸術論集

ヴァルター・ベンヤミン　山口裕之〔訳〕　46747-4

いまなお新しい思想家の芸術・メディア論の重要テクストを第一人者が新訳。映画論、写真論、シュルレアリスム論等を網羅。すべての批評の始まりはここにある。「ベンヤミン・アンソロジー」に続く決定版。

著訳者名の後の数字はISBNコードです。頭に「978-4-309」を付け、お近くの書店にてご注文下さい。